SLIDE WRITING METHODS OF
PROFESSIONAL CONSULTANTS

外資系コンサルの
スライド作成術

図解表現23のテクニック

山口 周

東洋経済新報社

はじめに 「スライド作成の技術」がなぜ重要なのか?

　本書は、読者の皆さんに対して、プロフェッショナル・コンサルティング・ファームの現場で日々活用されている様々な「スライド作成の技術」を網羅的にお伝えすることを目的に書かれています。
　ところで、今なぜ「スライド作成の技術」を学ぶ必要があるのでしょうか。日本のビジネスパーソンがグローバルに活躍するためには、英語とロジカル・シンキングの能力が必須であるとよく言われます。しかし筆者は、それらに加えて、わかりやすいスライドを作成する技術もまた必須の能力だと考えています。なぜなら、文脈や価値観を異にする多様な人々と遠く離れて協働し、成果を生み出していくことが求められる局面では、文書によってこちらの意図や考察を精密に伝達する能力が非常に重要になってくるからです。
　これまでのように、日本国内に留まって日本人同士でビジネスをするのであれば、互いに文脈も共有していますし、いざとなったら口頭でフォローすればよかったので文書の不備はいくらでも補うことができました。しかしグローバルコミュニケーションにおいては、そうはいきません。もしあなたの文書がわかりにくく、内容が先方に伝わらなければ、その内容がどんなに考察として優れていたとしても、仕事上の成果としてはゼロです。この「ゼロ」という点がポイントです。つまり「スライド作成の技術」は、皆さんの仕事上の成果に、最後の出口のところで掛け算としてきいてくるのです。
　この問題は、グローバル化という文脈に身をおかない人にとっても無関係ではありません。例えば、日本ではイノベーションの停滞が嘆かれて久しい状態になっていますが、その大きな要因の一つに組織内における資源動員の下手さが挙げられています。資源動員とはつまるところ、立場を異にする人たちに自分の考えを説明し、共感させ、意思決定してもらうという活動に他なりません。そのプロセスにおいてもやはり、スライド作成の技術は大変重要な要件になってくるのです。
　つまり、少々大げさな言い方をすれば、スライド作成の技術水準は、国の内外において重要な組織課題になっているということです。これは、組織・

人材開発を生業にしている筆者が、本書のような書籍の必要性を痛感するに至った理由でもあります。

しかし恐れるには足りません。筆者は長きにわたりコンサルティング・ファームにおいて新卒学生・中途採用者のトレーニングを担当してきましたが、その経験から「スライド作成の技術」は訓練によって大変高いレベルに到達できることを確認しています。この点は、ロジカル・シンキングや発想力のように、生まれつきの天分に大きく左右される能力と非常に対照的です。

なぜ、「スライド作成の技術」は後天的に訓練できるのでしょうか。一言でいうと「明文化できる」からです。明文化できるということは、言葉にして人に伝えられるということです。そして、本書で筆者が皆さんにお伝えしたいと考えているのが、まさに明文化された、その「スライド作成の技術」なのです。

率直に言って、昨今、コンサルタントあるいはコンサルティング・ファームは明らかに実際の能力以上に過大評価されている側面があると筆者は考えています。しかし、こと、スライド作成の技術に関してだけは、他業界・他業種と比較して、異常に高いレベルに発達していると断言できます。コンサルティング業界において「スライド作成の技術」が異常に発達した理由は大きく2つあると考えられます。

1つは単純に、コンサルティングではスライドが高額のフィーを頂いて顧客に提供する「商品」そのものになるからです。最近では「実行」や「結果」を売り物にするコンサルティング・ファームも多いので、是非の議論はあるかも知れませんが、依然としてコンサルティングの本分は、あくまでも利害を超えた外部のカウンセラーとしてアドバイスを提供することにあります。そして、高額のフィーの対価として与えられるアドバイスの提供に用いられるメディアがスライドである以上、その完成度を極限まで高めようという圧力が働くのは職業モラルの点に照らして当然のことだと言えます。

2つ目の理由が、コンサルティングという職業が、「高度に複雑な問題の解決」を「とても忙しい人々」に提言し、その実行を支援する仕事だからで

す。高度に複雑な概念を、短時間に納得してもらうように説明するためには、多くの数値情報や概念をわかりやすく視覚化するための高度なテクニックが求められます。

　これらの2つの要請が働いた結果、コンサルティング業界における「スライド作成の技術」は異常な発達を遂げたわけですが、これらの要請は先述した通り、これからグローバルな舞台で仕事を進めなければならない局面を迎えている多くの日本人ビジネスパーソンにとっても同様のことでしょう。

　筆者は、本書の中でコンサルティング・ファームにおける新卒採用者・中途採用者に向けたトレーニングの一環として教授していた「わかりやすいスライドを作成する技術」について解説しています。技術と聞くと何やら堅苦しく聞こえますが、コンサルティングの歴史の中で先人達が磨き上げてきた一種の経験則やコツのリストと考えてもらえればいいと思います。

　一つ一つはそれほど難しいものではありません。言われてみれば当たり前じゃないか、と思うようなこともあるでしょう。しかし、頭でわかっているのと仕事の場で実践できることには大きな隔たりがあります。

　読者の皆さんも、是非本書で学ばれた「スライドを作成する技術」を、日々の仕事の場で実践してみてください。最初はなかなかうまくいかないと感じるかも知れません。しかし、少しずつでも実践してみることで、本書を通じて知った様々なテクニックが、必ず皆さんのものになっていきます。そして、それらのテクニックは皆さんの人生に新しい世界を開いてくれるはずです。

　読者の皆さんの人生がより実り豊かなものになりますよう、本書をご活用頂ければ筆者にとってこれ以上幸せなことはありません。

2012年8月　山口 周

目次

はじめに ……… 1

PART1　スライド作成の基本

- 1 » スライドの構成要素とレイアウト ……… 10
- 2 » スライドの作成手順 ……… 14
- 3 » メッセージの3条件 ……… 18
- 4 » メッセージの作り方 ……… 23
- Column » 出所の重要性 ……… 26

PART2　グラフの作り方
～数値を視覚化する～

- 5 » グラフ作成における基本フォーマット ……… 30
- 6 » ボリュームをヴィジュアルで表す ……… 38
- 7 » グラフを合成する ……… 42
- 8 » フォーカスする ……… 58

9 »	「そのもの」をフォーマットに使う ……… 62
10 »	数値の動きを視覚化する ……… 65
11 »	グラフ間の関係を明確化する ……… 69
12 »	さらなる上級者になるためのヒント ……… 74
Column »	スライドはユニバーサル言語 ……… 79

PART3 チャートの作り方
～概念や関係構造を視覚化する～

13 »	チャートの基本フォーマット ……… 82
14 »	縦と横の軸を決める ……… 84
15 »	メッセージと軸を整合させる ……… 92
16 »	非冗長性のルール ……… 94
17 »	矢印のルール ……… 98
18 »	プレグナンツの法則 ……… 104
19 »	さらなる上級者になるためのヒント ……… 110
Column »	「色」は3色まで ……… 114

PART4 シンプルなスライドに磨き上げる

20 »	Less is More ……… 118
21 »	SN比を改善する①「必要・不必要」……… 125

22 »	SN比を改善する②「効率・非効率」……… 128
23 »	"Surprising yet right" ……… 130
Column »	使い勝手と柔軟性 ……… 135

PART5　練習問題

練習問題1 ……… 141

練習問題2 ……… 143

練習問題3 ……… 145

練習問題4 ……… 149

練習問題5 ……… 153

練習問題6 ……… 155

「おわりに」に代えての、長いお願い ……… 158

装丁・本文DTP　dig

PART 1

スライド作成の基本

　まず最初に、スライドおよびその作り方の基本を押さえておきましょう。目的、構成要素、作成手順、そして一番重要なポイントが何かを知らずして、見る者を唸らせる効果的なスライドを作ることはできません。

スライドの構成要素とレイアウト

■ より早く、より正確に、より少ない労力でビジネスを進めるツール

　読者の皆さんは、日々、様々なビジネスシチュエーションにおいてたくさんのスライドを作成されていることと思いますが、そもそもビジネスにおけるスライドの役割について考えたことがあるでしょうか？

　立場に応じて、その答えは変わってくるでしょうが、筆者自身は、スライドの役割は「ビジネスにおけるコミュニケーションを効率化する」ことにあると考えています。もう少し正確に言えば、「ビジネスにおけるコミュニケーションを、より早く、より正確に、より少ない労力で成立させる」と定義できるでしょう。この3つの要素が、そのままビジネスにおける成功要因になっていることに注意して下さい。「効果」と「コスト」と「時間」は、ファイナンス理論において事業価値・企業価値を算出する際に利用される最も基本的な要素です。

　スライド作成とは究極のところ、ビジネスを「より早く、より正確に、より少ない労力」で推進するために営まれるコミュニケーションの補完行為であると言えます。

　本書において筆者は、皆さんに様々なスライド作成の技術に関してご説明していきますが、それらの技術は、すべて、この三つの判断基準に照らして有効であると判断されたものです。逆に言えば、世間一般によく言われていることであっても、上記の判断基準に照らして必ずしも有効性が担保されない方法論やコツ、例えば最近よく見られる過度のビジュアルイメージの活用や極端に短い抽象的なメッセージの活用に関しては、ネガティブなものとして注意を喚起しています。

◪ 構成要素とレイアウトは万国共通

　スライドを作成するにあたり、まず知っておくべきことは、その基本となる構成要素とレイアウトです。

　私はキャリアを電通からスタートさせ、その後ボストン・コンサルティング・グループ（以下、BCG）やA.T.カーニーといった外資系戦略ファームを経て、現在ヘイグループで顧客企業の組織開発、リーダーシップ開発を支援していますが、スライドの構成要素とレイアウトは、どの国でもどの会社でも大同小異で変わりません。つまり、グローバルな普遍性があるということですから、一度覚えてしまえば、どの会社、どの国に行っても使うことが可能です。

◪ 構成要素は全部で6つ

　スライドに必要な構成要素は、下記の6つです。

①メッセージ
　このスライドで最も言いたいこと
②グラフ／チャート・表のタイトル
　メッセージの根拠となる分析やデータ、概念図の題名
③グラフ／チャート・表
　グラフは「数値を視覚化したもの」、チャートは「概念や関係、構造を視覚化したもの」と考えて下さい。一般に、海外で「Chart（チャート）」と言えばグラフも含まれますが、本書では整理の都合上、グラフとチャートを分けて扱います。チャートには、写真やビジュアルイメージ等が用いられることもあります。
④脚注
　内容理解に当たって留意しておくべき点
⑤出所
　分析に用いたデータやインタビュー、記事等の出所

⑥ページ番号

　特に忘れられがちなのが⑤の「出所」ですが、出所はそのスライドの情報としての信頼性を担保する唯一の拠り所になる非常に重要な構成要素です。スライドの内容に、他所から参照してきた情報が含まれている限り、絶対に欠かしてはなりません。

■ レイアウトのルール

　6つの構成要素がレイアウトされる場所は、図1の通りです。もちろんレイアウトの基本ルールは会社やフォーマットによって異なってきますので、微妙な差異については臨機応変に対応して下さい。

　ただし、資料全体を通して、必ずページ間で同じルールを用いるようにしてください。ページを見るごとにレイアウトのルールが変わってしまうと読

図1　スライドに必要な基本構成要素は6つ

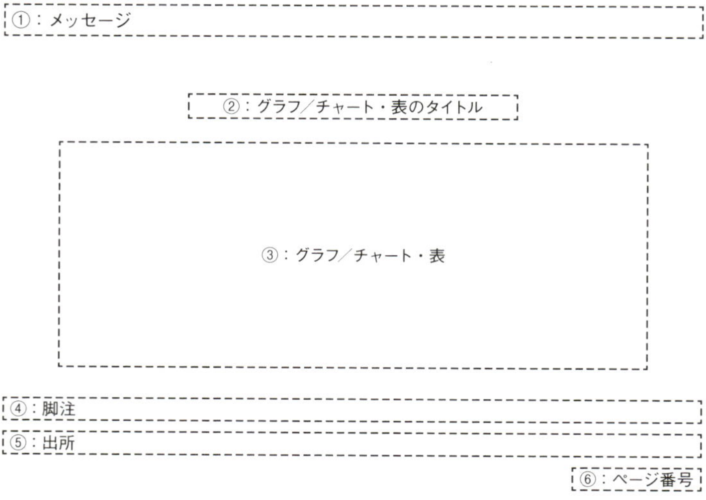

①：メッセージ

②：グラフ／チャート・表のタイトル

③：グラフ／チャート・表

④：脚注
⑤：出所

⑥：ページ番号

む側は大混乱してしまいます。

■ 文字の大きさは12p以上、メッセージは2行以内

　スライドに用いる文字の大きさ（p＝ポイント）については特にルールがあるわけではないのですが、基本的に12p以上にすることをおすすめします。それと関連して、スライドのメッセージは必ず2行以内に留めることも覚えておきましょう。これもルールというわけではないのですが、作成しているスライドの内容の重要性が高ければ高いほど重要になってくるテクニックです。

　スライドの内容の重要性が高くなればなるほど、スライドの読者は経営トップに近づくことになります。一方で経営トップに近づけば近づくほど相手は、時間がない（＝長たらしいメッセージを読まない）、小さい字が読めない（＝老眼）という傾向が顕著になってきます。

　先ほど、スライド作成の目的は「ビジネスにおけるコミュニケーションを効率化する」ことと述べましたが、であればこそ、スライドの作成者はコミュニケーションの受け手のコンディションを想定して、最大限の注意を払ってスライドを作成するべきです。そして、そのために注意すべき基本中の基本と言えるのが、この「文字の大きさは12p以上」「メッセージは2行以内」というルールなのです。

# スライドの作成手順

■「メッセージ」「出所」「グラフ／チャート」の順で作成

　スライドは下記の手順で作成します。

①ページ番号をつける
②メッセージを書く
③出所を書く
④グラフ／チャートのタイトルを書く
⑤グラフ／チャートを書く
⑥脚注をつける

　なお本書でご紹介するスライドの例では、ページ番号を省略しています。ページ番号は、スライドの順序を理解し、また検索をしやすくするための重要な構成要素ですが、スライドのページ番号と本書のページ番号が混在すると混乱を招く恐れがあるからです。

■ グラフやチャートを最初に書くと「死にスライド」になる

　では、実際に作成手順を見ていくことにしましょう。スライドの作成というと、⑤「グラフ／チャートを書く」から手をつける方も多いのではないでしょうか。しかしこのアプローチはおすすめできません。なぜなら、書いたものの結局は使わない、あるいは何が言いたいのか今一つはっきりしないスライドを大量に生み出すことになるからです。BCGではこういったスライドを「死にスライド」と言い、「死にスライド」を作らない、作らせないの

が優秀なコンサルタントの証と考えられています。

　なぜ、グラフやチャートから書き始めると、結局使わないことになってしまうスライドを生み出すことになるのでしょうか。理由は、そうすることでメッセージがあいまいなスライドを作ってしまうことになるからです。グラフやチャートからスライドを作成してしまうと、「グラフやチャートで言えること」をメッセージに書いてしまいがちです。しかし、本来スライドは、メッセージが「主」でグラフ／チャートが「従」の構造であるはずなので、これでは主客が逆転してしまうことになります。ですから、まずそのスライドで伝えたいことを書く＝「②メッセージを書く」、というのがスライド作成の第一歩になります。

■ 面倒で忘れやすいからこそ早めに出所を書く

　メッセージの次に出所を書きます。出所を書くことで「言おうとしているメッセージを、どのデータで証明するか」ということを明確化させます。
　スライドの作成は一種のリバース・エンジニアリングと言えます。言いたいこと＝メッセージをトップダウン発想で考える一方で、情報ネタ＝出所から何が言えるかをボトムアップ発想で考えるという、東西から掘ったトンネルを真ん中でつなぎ合わせるような作業が必要なのですが、出所を書くことでボトムアップ側の立脚点を明確化することができます。
　出所を3番目という早い段階で書くことを強調する理由は、出所を後で書き足そうとすると必ず忘れるからです。読者の皆さんも、スライド作成になれたころに必ず実感することになると思いますが、出所を書くという作業は、スライド作成のリズムを崩されるとても面倒くさい作業なのです。レポートの題名や発表年、発表社の名前を一々調べて記入するのは実にうっとうしく、深夜にスライド作成をしている際、著者名に珍しい漢字が使われていてなかなか文字変換できなかったりすると参ってしまうのですが、ここでやっておかないと、ますます後でやるのが嫌になるので、是非スライド作成の前半で乗り切って下さい。

■ **タイトルのないグラフ／チャートは理解を困難にする**

ここまで来て次にようやく、メッセージと情報のつなぎ合わせとしてのグラフ／チャートの作成に入ります。グラフやチャートの作り方については後程詳しくご説明しますが、ここではまず「グラフ／チャートのタイトルをつけ忘れない」ということだけ覚えておいてください。グラフ／チャートのタイトルを欠いてしまうと、スライドはまったく理解不能なものになります。

たとえば図2を見て下さい。このスライドは、営業支援システムの導入によって、営業生産性は向上するどころか、むしろ悪化しているということを示すショッキングな分析結果を伝えるものですが、グラフのタイトルが抜けているために、メッセージそのものは理解できるものの、それがどのような分析によってサポートされているのかが全く理解できません。

図2　グラフ／チャートタイトルのないスライド

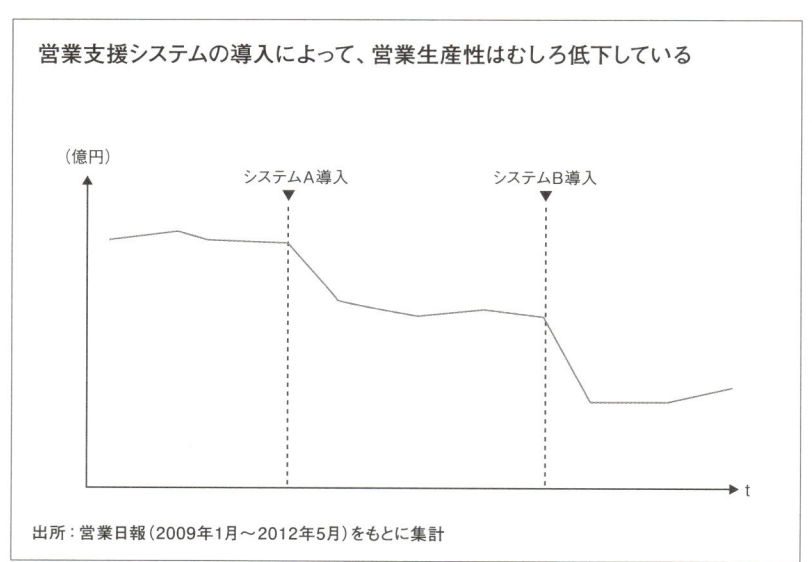

このスライドにグラフのタイトルを付け加えると、図3のようになります。たったこれだけの違いで、メッセージがどのような分析によって抽出されたのかが明確になることがおわかり頂けると思います。

■ 脚注を省いてもよいケース

　特に注記すべき点がない場合、脚注は省かれることがあります。また、記載されている情報の出所が作成者自身である場合（例えば作成者自身による構造図やポンチ絵）、出所も省かれます（ただしより厳密には一次情報を記載した上で、「労働統計2010年の情報をもとに○○社が作成」といった具合に、スライド作成者または社名を記入することが望ましい）。

図3　グラフ／チャートタイトルの付いたスライド

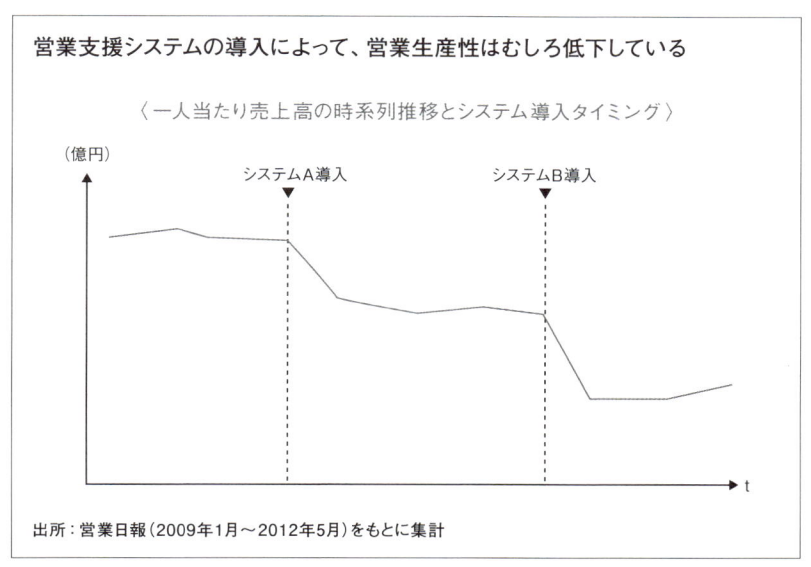

メッセージの3条件

■ スライドの良し悪しはメッセージで決まる

ここまで読まれてきた読者の方は、スライド作成におけるメッセージの重要性について、改めて認識されたことでしょう。そう、スライド作成においては、とにもかくにも「何を言いたいのか＝メッセージ」を明確化することが重要です。逆に言えば、良いスライドというのは「メッセージが明確である」こと、そしてそのメッセージが説得力のあるグラフやチャートでサポートされているスライドであると言えます。

グラフやチャートの書き方については後程ご紹介するとして、ここからはまず、「良いメッセージ」とはどのようなメッセージなのか、どうすればそのようなメッセージが作れるのかについて、ご説明します。

まず「良いメッセージ」の条件について説明します。「良いメッセージ」とは下記3つの条件を満たしているメッセージです。

条件① 1スライド1メッセージとなっている
条件② 明快な主張がある（＝ポジションを取っている）
条件③ 短い（＝ポイントが明確である）

■ 条件① 1スライド1メッセージとなっている

まず、1つ目の条件として、必ず1枚のスライドには1つのメッセージが入る、と覚えておいて下さい。1つということはつまり、ゼロでもなく2つでもないということです。先述した通り、スライド作成においてメッセージは何にも増して重要な要素ですから、ゼロというのは有り得ないはずなので

すが、ビジネスの現場では、メッセージが書かれていないスライドが今日も大量に生産されています。メッセージが書かれていないということは「伝えたいこと」がないということですから、そもそもコミュニケーションのニーズがないわけで、これはスライド作成の技術云々以前の問題といえます。

また、その逆に1枚のスライドに2つ以上のメッセージを入れ込んでしまうというのも避けてください。プレゼンテーションでは聞き手の理解のスピードと説明のリズムを同期させることが必要ですが、1つのスライドに2つ以上のメッセージを盛り込んでしまうと、このリズムが大きく狂うことになります。1つの、簡潔なメッセージを1枚1枚スライドをめくりながら連続させることで、聞き手と歩調を合わせたプレゼンテーションを進行させることが求められます。

メッセージは1枚のスライドに1つ、ということを肝に銘じて下さい。

■ 条件② 明快な主張がある（＝ポジションを取っている）

2つ目に指摘したいのが「明快な主張がある」という条件です。これはメッセージの要件としては最も重要な点で、私はそのことを20代の時の体験から痛烈に学びました。

1990年代の半ばから後半にかけての時期のことですが、当時、大型コンペで電通が博報堂に連戦連敗するという事態が発生していました。もう時効だろうと勝手に判断して告白してしまいますが、電通、博報堂双方の営業企画部門に知人がいた私は、両社がコンペで提出した提案書を入手して比較するという、今から考えると際どいことをやっていました。恐らく7つくらいの対戦を分析したと思うのですが、全戦を通じてもっとも際立っていた違いが博報堂と電通の「主張の明快さ」でした。

博報堂の提案書の1枚1枚には「何が言いたいのか？」「示唆は何か？」という主張が非常に明確に書かれていたのに対して、電通の提案書には「顧客分析の結果」とか「市場のエリア別分布」といった、グラフやチャートのタイトルがスライドに書かれているだけで、一番肝心なメッセージ、つまりその分析や情報から、何が示唆として言えるのかということが書かれていなか

ったのです。分析の結果から得られる示唆を書かずに「実施した分析の内容そのものを書いてしまう」という典型的な落とし穴に落ちていたわけです。

例えば図4を見てください。「200以上の営業所について、営業利益率と売上成長率を分析した」というのがメッセージで、スライドの中身は営業利益率と売上げ成長率をプロットした散布図になっています。

確かに、「1スライド＝1メッセージ」に、一応はなっているのですが、そもそもメッセージとして本当に伝えたいのはそういうことなのでしょうか？この分析結果が示唆しているのは、既に営業利益で赤字の店がかなり存在し、しかもそのうちのかなりの店が売上でもマイナス成長になっており、黒

図4　分析の「結果」ではなく「内容」を書いてしまったスライド

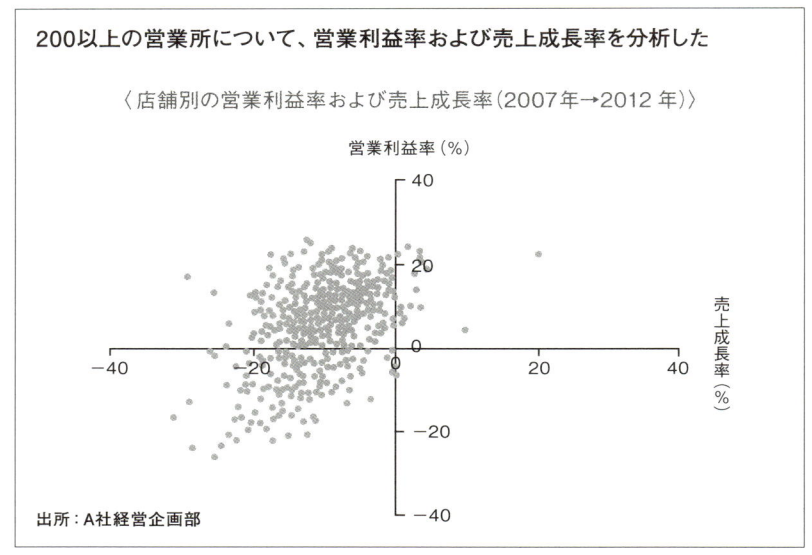

字転換する見込みが薄い、ということです。であればスライドのタイトルは、例えば「営業赤字×マイナス成長の店舗を閉鎖し、資源を他に振り向けるべき」という内容にするべきでしょう。

「メッセージに明快な主張がない」という落とし穴は間口が非常に広いので、ほとんどの人が一度は落ち、そして多くの人が落ちたまま上がってきません。なぜでしょうか？　一言で言えば勇気がないからです。

ある情報をもとに、そこから得られる示唆を「言い切る」のは、実は、非常に勇気がいることなのです。そして、分析した結果のデータのみを提示して、示唆や解釈を提示しないというのは「解釈はあなたに委ねる」という態度です。なぜ解釈を委ねてしまうかというと、解釈が異なることで発生する摩擦を恐れているからで、つまり相手におもねているわけです。だから解釈できない。解釈をしないからメッセージが出ない。メッセージが出ないからコンペに負ける。

この悪循環を断ち切るためには、情報を解釈し、勇気をもって示唆を出す、「自分はこう思う」ということを主張することが求められます。右か左か、態度を決める。つまり「ポジションを取る」ことが求められているのです。

若い人を見ていると「分析はできるけどポジションが取れない」という人が多い。これは非常にもったいないことです。ポジションが取れないと、脇を固めるための分析として次に何が必要かも見えてきません。

ポジションを取る、ということは逆のポジションを取る人に戦いを挑む、ということです。その戦いに勝とうと思えばこそ主張をシャープにする努力が生まれる。ポジションを取る、というのはアウトプット・クオリティの根幹に関わる問題なのです。

■ 条件③　短い（＝ポイントが明解である）

最後の条件は「短い」こと。メッセージの文字数は、目安としては30字程度、長くても60字以内に留めるようにしてください。

30字というのは、20pのフォントでメッセージを書いた場合、A4のスラ

イドであれば1行で収まる分量ということです[*1]。1行で収まる、と聞くと非常に短い様に思えるかも知れませんが、本書で扱っているサンプルスライド約100枚のうち、メッセージが2行にわたっているスライドは10枚程度で、9割のスライドは1行のメッセージで十分に情報を伝達していることを見て頂ければ、決して「1行」という目安が無理なものではないと感じて頂けるはずです。

　どうしても2行以内にメッセージをまとめきれない、という場合は、恐らく「伝えたいポイントがまだ明確になっていない」（条件②「明快な主張がある」に反している）か、「多すぎる情報を1枚のスライドで伝えようとしている」（条件①「1スライド1メッセージ」に反している）のどちらかが原因になっているはずです。前者であれば「本当に伝えたいことは要するに何か？」を熟考することが必要ですし、後者であれば、スライドのメッセージを2つに分割し、2枚のスライドにすることが必要です。

＊1　古今東西、様々な名言が人口に膾炙されるが、どの名言にも共通している特徴が、実はたった一つだけある。それはどれも「極めて短い」ということだ。例えば、新約聖書福音書には様々なイエスの名言が記されているが、ほとんどが30字以下である。

メッセージの作り方

■ MECEにとらわれず言いたいことを書き出す

では、どのようにすれば3つの条件を備えたメッセージを作成することができるのでしょうか。まず最初のステップとして、「とにかく自分が言いたいこと」を書き出します。これはワードを使ってもノートに書き出してもふせんに書いても、何でも構いません。

このとき、ピラミッドプリンシプル[*2]とかMECE[*3]といったメソッドやテクニックは一旦忘れてください。ピラミッドプリンシプルもMECEも構造化の技術ですが、構造化というのは反省の繰り返しですから、いくらやっても創造にはつながりません。従って最初は意識しない方がいいでしょう。好きな人に自分の気持ちを伝えたいというときに「ピラミッドプリンシプルで……」とか「現在の感情をMECEに分解すると……」とか考える人はいません。そういうことを気にしだすと、本来自分が持っている「これを伝えたい」という気持ちやシャープで的確な表現が失われてしまい、構造化しやすい陳腐なメッセージになってしまいます。陳腐なメッセージで人の気持ちは動かせません。

そして「本当に言いたいこと」の断片が集まったら、次はそれを順番に並べ替えてみてストーリーを作ってみます。ストーリーの構造は、起承転結で

[*2] マッキンゼーのエディティング・スタッフだったバーバラ・ミントが提唱した情報を構造化するメソッド。一般的には、主要メッセージとそれを支えるサブメッセージをピラミッド構造に配置するアプローチを指す。

[*3] Mutually Exclusive Collectively Exhaustiveの略で、相互にダブりがなく、全体としてはヌケ・モレがない、ということ。

あったり、小論文でおなじみの「事実（現象）→背景→対応策」という流れだったり、結論→結論を支える理由1→理由2→理由3でも、なんでも構いません。ここでのポイントは、メッセージを伝えようとしている相手を思い浮かべてみて、どのような話の流れであれば心を開いてくれるか、興味深いと思って聞いてくれるかということを意識しながら作成することです[*4]。

ここまでくると、言いたいことを漏らさずに伝える全体のストーリーができ上がることになります。そして、ここまでできてから初めて、スライド作成に着手します。

■ 計算されたパッケージは膨大でも苦にならない

スライドの集積された資料全体を、コンサルティング業界では「パッケージ」と呼びます。ここまでの作業で、良いメッセージの3条件を満たしたスライドが集積して、1つのストーリーとして形成されていることと思います。このようにしてでき上がったパッケージは、ある種の清々しさを覚えるようなすっきりとした構造になっていることでしょう。

図6は、そのようなパッケージの構成を例示的に示したものです。このように整理された構造でパッケージを作成できれば、たとえそれが300ページの報告書であっても、読む人は全体の内容を理解できるはずです。

[*4] 多くの劇作家は同様のアプローチを劇作の現場において採用している。例えば井上ひさし氏は、まず全体のストーリーを作成する前に、劇中の人物に語らせたい「キメのセリフ」を書き起こし、それらのセリフが集まってきたらそれらを並べ替えて場面を作成し、最後に場面の配列を並べ替えて全体のストーリーを作成するというアプローチをよく用いていた。

図5　パッケージ作成の「ありがちなプロセス」と「あるべきプロセス」

スライド作成の「すべからず」と「すべき」

ありがちなプロセス

- いきなりスライドの中身を作成し、そこから何が言えるかを考えてメッセージを作成
- ストーリー化は最後になって「辻褄合わせ」の様に行われる
- 結果、ボツになるスライドやストーリーからずれるスライドが大量に生まれる

あるべきプロセス

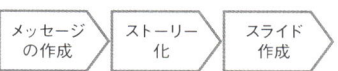

- まずメッセージを書きだし、それらがすんなりと頭に入るストーリーにまとめる
- 文章をいじりようがない、となった段階で一つ一つのメッセージをスライドに落としていく
- 全てのスライドがメッセージとストーリーをサポートするように作成される

→パッケージ作成において、時間の7割はメッセージの作成・ストーリー化に割くことが望ましい

図6　メッセージとスライドの関係

言いたいことの全体像を書き起こしてから、スライドの作成にかかる

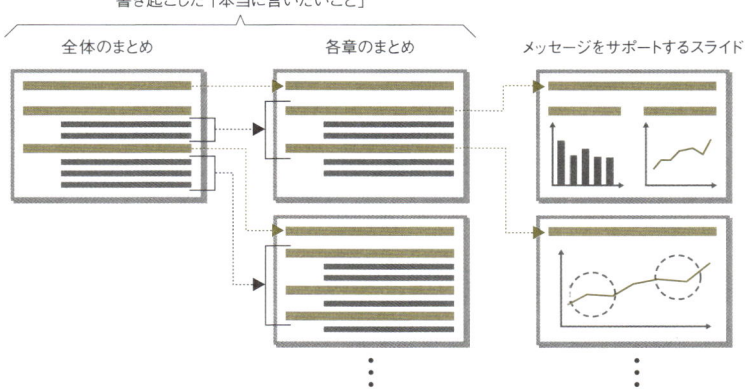

PART1　スライド作成の基本

Column　出所の重要性

　筆者が日常の仕事を通じて感じているのは、出所に関する外国人と日本人のシビアさの違いです。欧米人と会議をしていると、よく出所について聞かれることがあります。「出所にあるこの○○総研というのは、どういう会社か？」とか「他のソースのデータはこれと大きく異なっているのではないか？」といった質問なのですが、こういった質問が日本企業の顧客から出されることはまずありません。この差は「情報」に関する海外、特に欧米企業と日本の考え方の違いをよく表しているように思います。

　欧米人は情報のクオリティによって自分たちの意思決定のクオリティまで左右されるということをよく認識しているということなのでしょう。英国情報局（＝MI6）や米国のCIAといったインテリジェンス・サービスは、そもそも情報のダブルチェックを目的として設立された機関ですが、こういった組織は日本には存在しません*。「情報の出所」というものに対して非常にセンシティブなメンタリティがよく現れていると思うのですが、そのような性格なので新聞や大手シンクタンクの発表でも、そのまま鵜呑みにするということがありません。これは、底意地が悪いとか根がひねくれているとかということではなく「メディアというものは嘘をつくものだ」という教育を幼少期から受けてきているからです。

　欧米において「もっとも信頼できるメディアは何か？」という質問を世論調査で聞くと教会が首位に来ますが、日本では新聞が首位になります。新聞も様々な利害関係者を持つ営利企業ですから、その置かれている立場によってはニュートラルで正確な報道は望むべくもないわけですが、そういった点をなぜか日本人の多くは忘れて

しまい、大手新聞社やシンクタンクの発表内容に従ってしまう傾向があります。

　こういった傾向が、「この情報はどこが出所なのか？」という関心の薄さにつながり、全般的に出所が明らかにされないスライドが大量に出回ることになっているように思えるわけですが、特に海外とのコミュニケーションが必要な局面においては、出所は絶対に欠かせないと認識しておいてください。

＊　例えば英国情報局はもともと、自分の提案する政策に都合のよい情報ばかりを提供しようとする外務省に対するカウンターバランスとして、内閣が直接に海外の情報を集め、情報をダブルチェックするために設立された機関である。日本における同様の機関としては、戦前の満鉄調査部が挙げられるだろう。終戦後、路頭にあぶれた満鉄調査部のエージェントを大量に電通が採用し、様々な活動に用いて戦後躍進の原動力にした、というのは有名な話。

PART

2

グラフの作り方
～数値を視覚化する～

　すべてのスライドはビジネスにおける意思決定をサポートするために作成されると言えます（もしそうでなければ報告のための報告ということになります）。そして、ビジネスにおける意思決定の最も重要な拠り所は、世界のどの国でも「数値」になります。以上の2点から、必然的にグラフの作り方、つまり「数値を視覚化する」テクニックは、スライド作成においては基礎であると同時に最重要のテクニックであるということになります。

　数値は人間の知性が扱える概念の中では最も抽象度が高いため、これを上手に視覚的に表現できる人とそうでない人との間には、大きなコミュニケーション能力の差が発生しますが、数値情報の視覚化にはある程度定型がありますので、それさえ覚えてしまえば、誰でも一定のレベルに達することが可能です。

グラフ作成における基本フォーマット

■ グラフで用いる主な数字は3つ

　グラフを作成する＝つまりデータから重要な意味合いを引き出してそれを視覚化する場合、もともとの資料の実数値だけを用いるのでは限界があります。そこで、データの加工が必要になるわけですが、その場合、構成比と指数値が2本の柱になります。つまり、グラフのもとになるデータは実数値、構成比、指数値のどれかを基本的には用いることになります（図7）。

　実数値、構成比、指数値のどれを用いてグラフを作成するかは、そのグラフによってどのようなメッセージを伝えたいかによります。全体に占める割合を見せたい場合、例えばシェアや地域別の売上比率といったデータには構成比が、過去との比較を見せたい場合、例えば事業の成長度合いや物価の変動といったデータについては指数値が適しています。

　また、どのような場合においても、実数値のデータは重要です。例えば、A事業とB事業で、それぞれ売上が去年から5％、10％低下しているというデータを提示すれば、B事業の方がテコ入れの優先順位が高いように見えますが、実数としてA事業の売上が1000億円、B事業の売上が100億円であれば、会社にとっての優先順位は逆転します。

　実数値、構成比、指数値といった数字の種類に応じて、使用するグラフフォーマットも変わってきます。あくまで目安でしかないのですが、ここで簡単に触れておきましょう。

図7　図表データの三本柱

〈図表データの実数値、構成比、指数値のどれかで作成する〉

実数値（原資料）

	A	B	C	Total
2000	85	12	2	99
2001	93	20	2	115
2002	107	24	3	134
2003	126	28	4	158
2004	130	35	4	169
2005	138	48	8	194
2006	154	57	14	225
2007	175	61	21	257
2008	192	69	53	314
2009	206	77	82	365
2010	213	81	104	398

構成比（Total＝100）

	A	B	C	Total
2000	86	12	2	100
2001	81	17	2	100
2002	80	18	2	100
2003	80	17	3	100
2004	77	21	2	100
2005	71	25	4	100
2006	68	25	6	100
2007	68	24	8	100
2008	61	22	17	100
2009	56	21	22	100
2010	54	20	26	100

指数値（2000年＝100）

	A	B	C	Total
2000	100	100	100	100
2001	109	167	100	116
2002	126	200	100	135
2003	148	233	100	160
2004	153	292	100	171
2005	162	400	200	196
2006	181	475	350	227
2007	206	508	525	260
2008	226	575	1,325	317
2009	242	642	2,050	369
2010	251	675	2,600	402

■ 実数値を表現するのに適したフォーマット

実数値を扱う場合、基本的に棒グラフと折れ線グラフを用いることになります。また、実数値と構成比を組み合わせて使う際には、面積図が適しています。この場合は、通常実数値を横軸に、構成比を縦軸にとったグラフフォーマットを用います。更に、2つの実数値を用いてグラフを作成する場合は、散布図を使うことも可能です。

円グラフは構成比を見せるためのグラフフォーマットなので、実数値を視覚化するには適していません。

■ 構成比を表現するのに適したフォーマット

構成比を扱う場合の基本となるグラフのフォーマットは、円グラフと棒グラフです。1つのデータに焦点を当てて構成比を見たい場合は円グラフが有効です。特に、一番フォーカスを当てて見せたいデータがはっきりしていて、しかもその数値が25%、50%、75%近辺の場合、円グラフは大変見やすくなります[*1]。一方で、複数の構成比データを比較して見たい場合は積み上げ棒グラフが適しているでしょう。

また、先述した通り、実数値と構成比を組み合わせて使う場合は面積図を用いるといいでしょう。

■ 指数値を表現するのに適したフォーマット

指数を扱う場合の基本となるグラフのフォーマットは、折れ線グラフと棒グラフになります。この場合、時間軸に沿って指数の変化を見せたい場合は

[*1] 要するに時計の12時、3時、6時、9時にデータ要素の切れ目が来る際には非常に見やすいグラフになるということなのだが、これは人間の視覚が垂直と水平に非常に敏感に反応するという特性に起因している。

折れ線グラフが、ある2点間の指数値の変化を見せたい場合は棒グラフが適しています。

まれに、指数同士を、あるいは指数と別の数値データを組み合わせて散布図を作成するケースもありますが、学術論文ならまだしも、ビジネス文書ではまず用いられることはないと考えていいと思います。

なお、これらのガイドはあくまで目安でしかないので、実際には伝えたいメッセージに応じて、そのメッセージがもっとも端的に伝わるグラフフォーマットを選択する、場合によっては創造することが求められます。

それでは、実際のプロジェクトで作成されたスライドを参照しながら、グラフフォーマットの選択についてポイントを見ていくことにしましょう[*2]。

図8　扱うデータの種類によって適切なグラフフォーマットは異なる

	実数値	構成比	指数値
棒グラフ 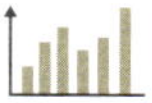	○	○	△
折れ線グラフ 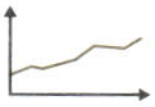	○	×	○
円グラフ 	×	○	×
散布図 	○	△	△
面積図 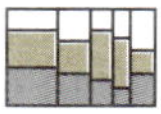	○	○	×

○＝適
△＝利用可能
×＝不適

[*2] 当然のことながら、顧客に対する守秘義務の制約から、スライド上の固有名詞や数値は実際のプロジェクトで用いられたものから改変されている。

■ フォーマットの選択を誤り読みにくくなったグラフの例

プレゼンテーションでは、話し手と聞き手の双方が同じ歩調（2分で1枚程度）で理解を深めていくことが求められますが、その際「一目でわかること」、つまり「読みやすい」ということが大変重要になってきます。

先述した通り、抽象的な数字をわざわざグラフという形に視覚化するのは、この「読みやすさ」を向上させるためです。ところが、メッセージや分析内容と不適切なグラフフォーマットを選択してしまうと、この「読みやすさ」に大きな問題が出てくるので注意が必要です。

例えば、図9を見て下さい。

図9　不適切なグラフフォーマットを選択すると読みにくい

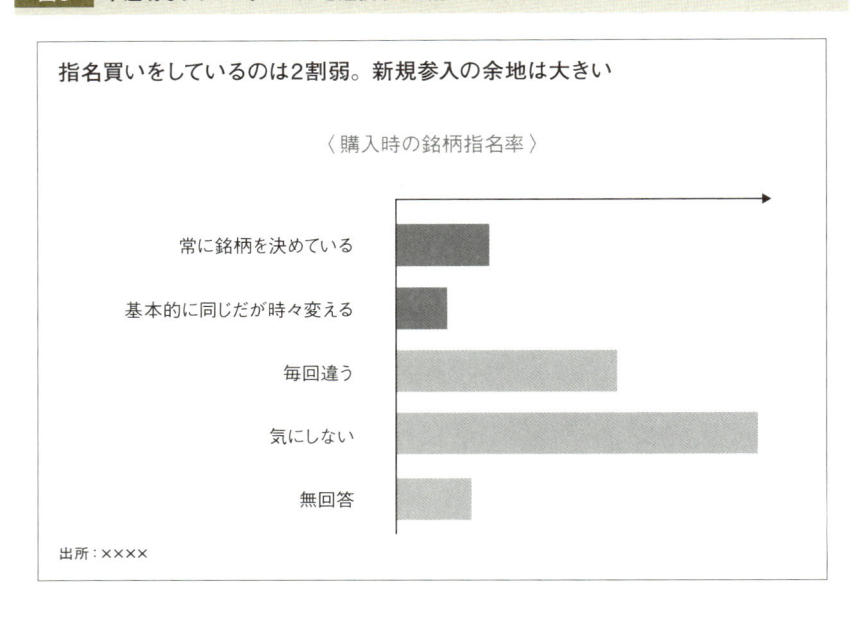

指名買いをしているのは2割弱。新規参入の余地は大きい

〈購入時の銘柄指名率〉

- 常に銘柄を決めている
- 基本的に同じだが時々変える
- 毎回違う
- 気にしない
- 無回答

出所：××××

このスライドは、新規参入を検討しているクライアント企業に対して、既存顧客の指名買い率が低いので新規参入の余地が大きいことを説明しています。しかし、パッと見てメッセージが伝わってきません。これは「指名買い率」という全体に占める割合についての情報を伝達するのに、並列棒グラフという不適切なグラフフォーマットを用いているためです。

　この場合、同じメッセージを伝えるのであれば、図10のようなグラフフォーマットの方が適切でしょう。図10ではグラフフォーマットを円グラフに変えたことで、全体に占める比率が小さいということが一目で伝わるようになりました。

図10　適切なグラフフォーマットにより読みやすさが改善

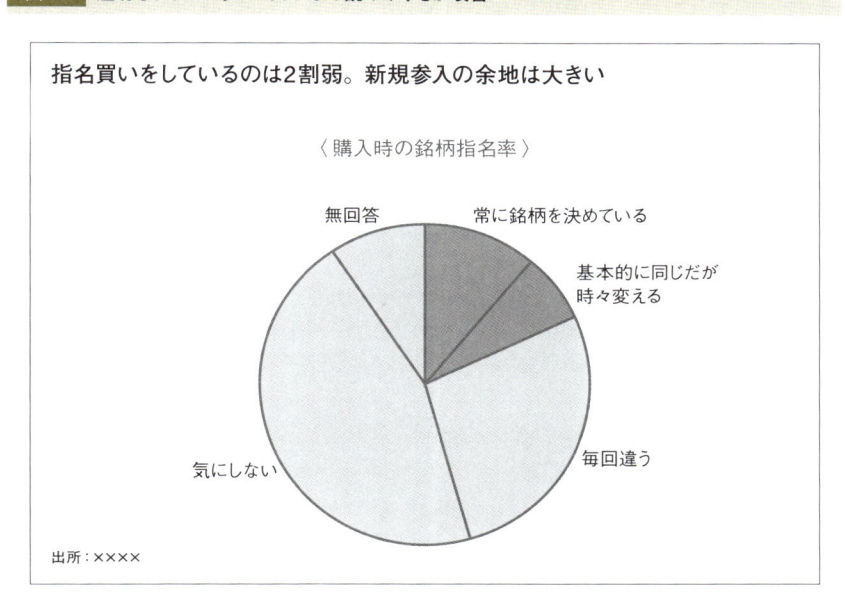

指名買いをしているのは2割弱。新規参入の余地は大きい

〈購入時の銘柄指名率〉

- 無回答
- 常に銘柄を決めている
- 基本的に同じだが時々変える
- 毎回違う
- 気にしない

出所：××××

■ **自然な感覚になじむグラフフォーマットを選ぶ**

グラフのフォーマット選択に、絶対的なルールや解答はありません。先程ご紹介した実数値、構成比、指数値に適したフォーマットについても、これが常にベストというわけではないのです。

グラフのフォーマットの選択において重要なのは、「自然な感覚に馴染むか」「違和感がないか」という感覚です。例えば、折れ線グラフは大変使い勝手のよいグラフフォーマットですが、通常は時間軸での変化を記述するのに用いるフォーマットであり、それを無理に他の用途で用いると、例えば図11のようなわかりにくいスライドになります。

図11は、4つの事業部のうち売上の拡大と生産性の向上を同時に達成して

図11　不適切なグラフフォーマットを用いているスライド

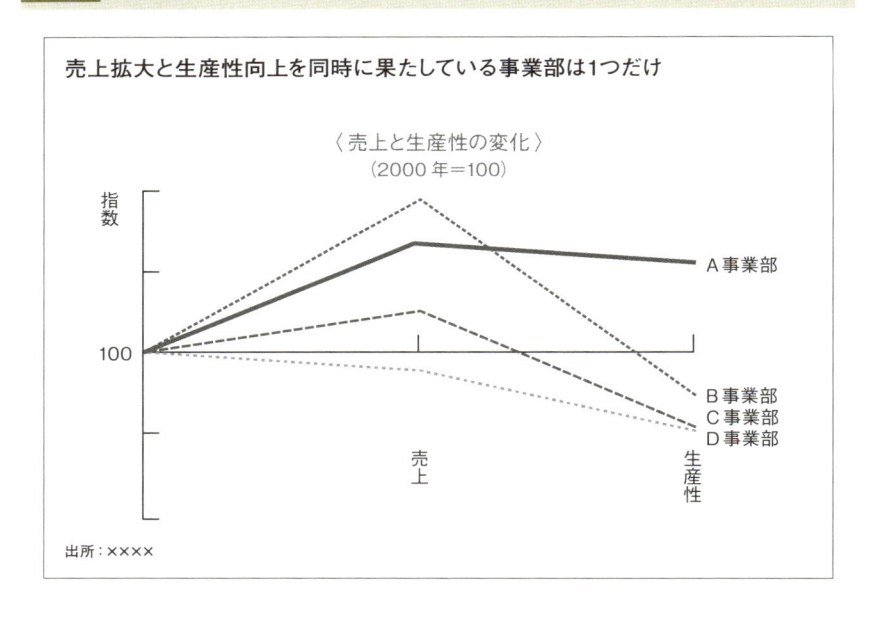

売上拡大と生産性向上を同時に果たしている事業部は1つだけ

〈売上と生産性の変化〉
(2000年＝100)

A事業部
B事業部
C事業部
D事業部

売上　生産性

出所：××××

いるのはA事業部しかない、ということを伝達するスライドですが、無理に折れ線グラフを用いているため、横軸が時間軸に見えてしまい、大変読みにくいグラフになっています。この場合、グラフフォーマットは事業部を横軸にとったシンプルな棒グラフ（図12）の方が適切でしょう。

また、このスライドでは、扱っている情報が2000年時と比較しての売上および生産性の変化なので、横軸に時間軸をとった折れ線グラフを検討される方もいらっしゃるかも知れませんが、そうすると折れ線の数が4事業×2指標で8本出てくることになり、やはり読みやすさという点で大きな問題が出てきます。

常に自然な感覚に馴染むグラフフォーマットを選ぶことを心がけてください。

図12　適切なグラフフォーマットを用いているスライド

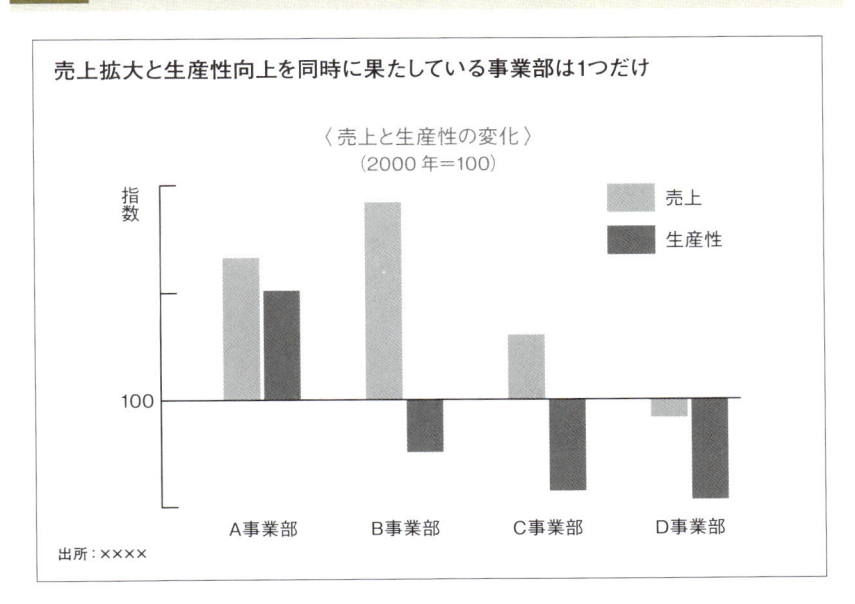

売上拡大と生産性向上を同時に果たしている事業部は1つだけ

〈売上と生産性の変化〉
（2000年＝100）

6　ボリュームをヴィジュアルで表す

■ **数字のインパクトを視覚から訴える**

　グラフのフォーマットはあくまで「自然な感覚に馴染むもの」を選ぶべきですが、そのグラフに一工夫をすることで、見違えるほどスライドの伝達力

図13　情報が視覚ボリュームに反映されていないスライド

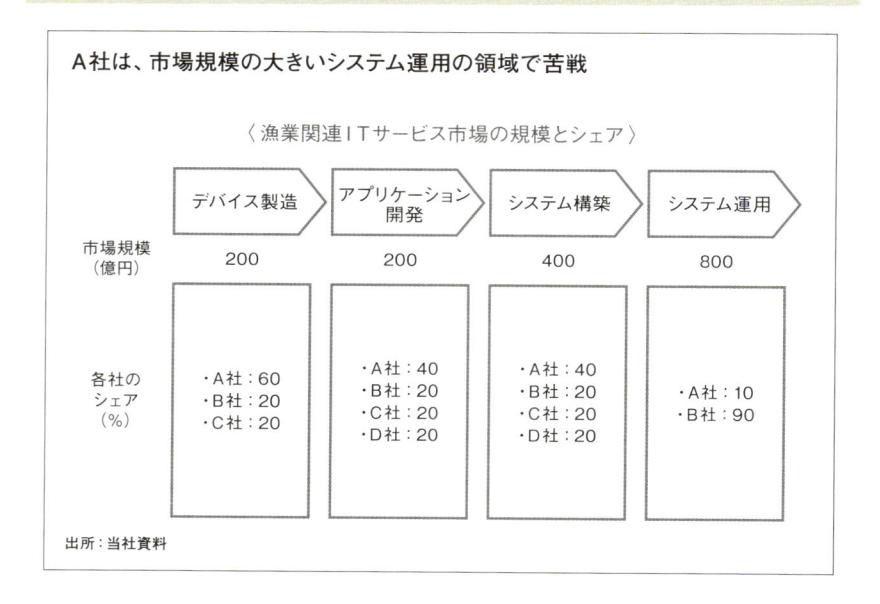

A社は、市場規模の大きいシステム運用の領域で苦戦

〈漁業関連ITサービス市場の規模とシェア〉

市場規模 （億円）	デバイス製造	アプリケーション 開発	システム構築	システム運用
	200	200	400	800
各社の シェア （%）	・A社：60 ・B社：20 ・C社：20	・A社：40 ・B社：20 ・C社：20 ・D社：20	・A社：40 ・B社：20 ・C社：20 ・D社：20	・A社：10 ・B社：90

出所：当社資料

を向上させることも可能です。

　ここからは、よりグラフを効果的に作成するテクニックをご紹介していきます。まず、量の違いを視覚上のボリュームに反映させるというテクニックです。図13を見てください。

　それなりによくできたグラフですが、デバイス製造やアプリケーション開発といった各市場の大きさと、各社のシェアが視覚のボリュームに反映されていないため、システム運用市場の大きさ、そこにおけるB社の圧倒的な存在感がパッと見て伝わってきません。

　ここで、各市場の大きさとシェアを視覚ボリュームに反映させると図14のようになります。もともとのグラフに比較して、市場領域の大小やA社に

図14　情報を視覚ボリュームに反映させたスライド

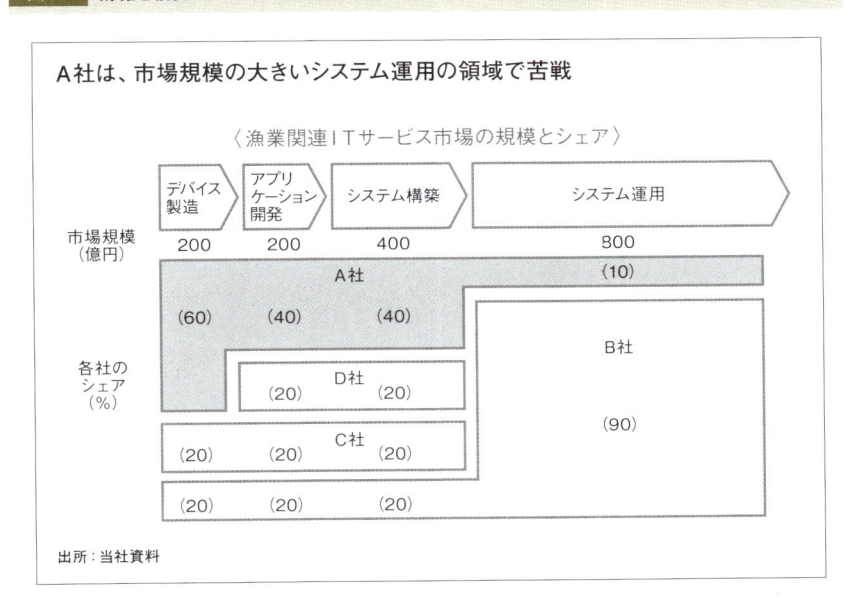

A社は、市場規模の大きいシステム運用の領域で苦戦

〈漁業関連ITサービス市場の規模とシェア〉

市場規模（億円）	デバイス製造	アプリケーション開発	システム構築	システム運用
	200	200	400	800

各社のシェア（％）

A社　(60)　(40)　(40)　(10)

D社　　　　(20)　(20)

C社　(20)　(20)　(20)

B社　(90)

(20)　(20)　(20)

出所：当社資料

とっての強み・弱みが一目で把握できるようになっているのがおわかり頂けると思います。

■ ダイナミックなグラフはダイナミックな議論を誘発する

このように、数字上のボリュームをヴィジュアルで表現した「規模感を直感的に理解できるスライド」を作るメリットとして、ダイナミックな議論が誘発される、という点が挙げられます。

例えば図14のようなチャートを見れば、誰もが「市場規模の大きいシステム運用の領域でB社からシェアを取れないか？」とか「それが難しいのであればC社、D社を吸収合併することで川上を押さえ、B社に対する価格交渉力を高められないか」といった戦略を発想するはずです。業界の構造がボリューム感を伴って直感的に把握されるために、そういう「次の一手」の仮説をイメージしやすくなるわけです。

しかし、こういった大きな戦略的方向性につながる論点は、図13からはなかなか喚起されません。

数字上のボリュームの違いをヴィジュアルで表現してスライドのインパクトを高めることは、グラフ作成における非常に重要なスキルです。その一例をもう1つご紹介しましょう。

図15はローレンス・リバモア国立研究所[*3]が作成したエネルギーソースの種類とその利用先のチャートです。ソースとしての大小、利用先としての大小をフローの太さで表現することで大変わかりやすいチャートになっています。

[*3] 米国のエネルギー省が所有する研究所で運営管理はカリフォルニア大学が受託している。1952年に核兵器の開発を目的として設立された組織で、現在でも主要なミッションは「to ensure the safety, security, and reliability of the U.S. nuclear deterrent」（ウェブサイトより抜粋）となっている。「水爆の父」と呼ばれるエドワード・テイラーが一時期所長を務めたことでも知られる。 2010年には「彗星が地球に生命の素材を運んだ」とする、国家安全保障とは何の関係もない研究結果を発表して話題となった。

図15　数値を視覚上のボリュームに反映させているので読みやすい

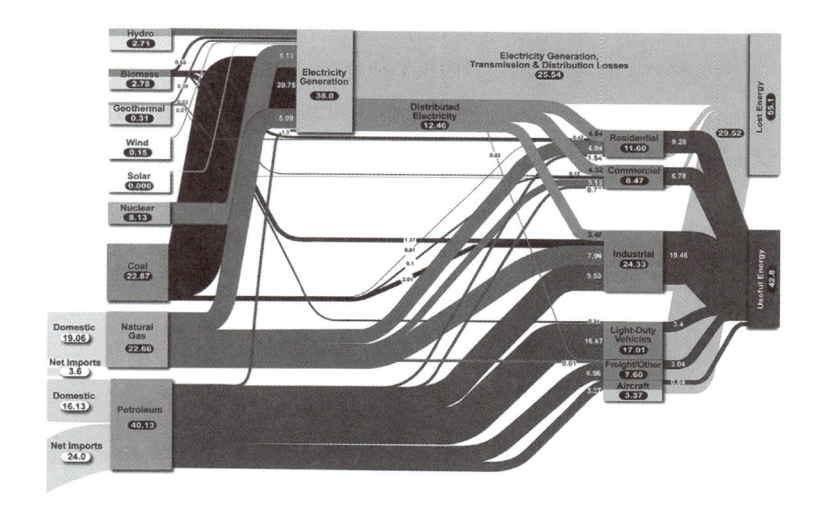

出所：Lawrence Livermore National Laboratory

7 グラフを合成する

■ **2つのデータを一度に提示することで示唆を明確にする**

合成とは、本来2つのグラフになるデータを、1つのグラフにまとめることです。2つのデータを一度に提示することで、初めて示唆や意味合いが明確になってくる場合、合成は大変有効な手段になります。

図16は、携帯電話ユーザーの音声・データのそれぞれの支出の平均額を、

図16　合成のサンプル

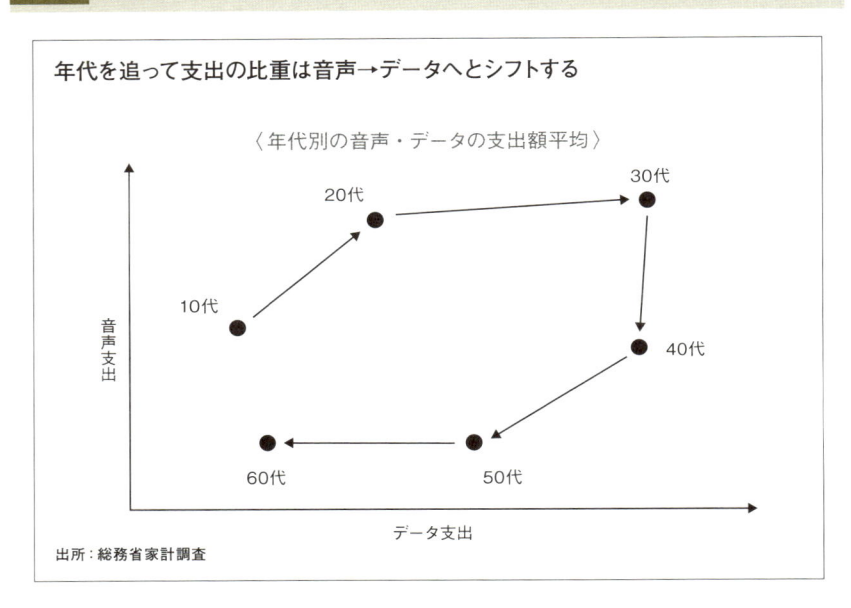

年代を追って支出の比重は音声→データへとシフトする

〈年代別の音声・データの支出額平均〉

縦軸：音声支出
横軸：データ支出

10代 → 20代 → 30代 → 40代 → 50代 → 60代

出所：総務省家計調査

年代順に記述したグラフ（フォーマットは散布図を使用）です。年代を追うごとに音声とデータの支出の構成比がダイナミックに変わること、ある程度の年齢になるとその両方が減少することから、年代に応じた料金プランのカスタマイズが必要であることが読み取れます。このようなダイナミックな変化は、年代別の音声支出とデータ支出を別々のグラフで提示しても読み取れません。2つのデータを同じグラフの中に合成して提示することで、初めて意味合いが明確に伝わるのです。

■ 合成でもフォーマットの選択は重要

フォーマットの選択を誤ると、合成も逆効果になります。図17は技術供与額と技術導入額の時系列推移を表したものです。グラフフォーマットとし

図17　合成が読みやすさの向上に寄与していないスライド

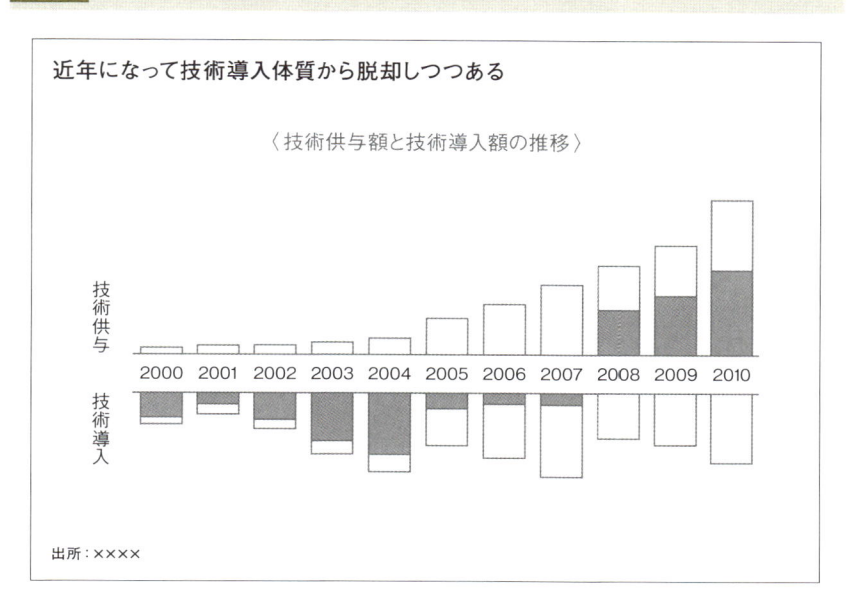

近年になって技術導入体質から脱却しつつある

〈技術供与額と技術導入額の推移〉

出所：××××

て横軸に時間軸をとったうえで、上側に技術供与額、下側に技術導入額をおき、両者の差分を、差額がマイナスであれば下側に、プラスであれば上側に記しているわけですが、どうも煩雑でグラフからメッセージが伝わってきません。

　こういう場合は指標を減らして、差分の変化を指標ではなく、直感的な視覚のボリュームによって表現するほうが有効でしょう。図18では同じメッセージを伝達するに当たって、指標を技術供与額と技術導入額の2つしか用いていません。両者の差分はグラフ上の視覚的な差異によって把握されるため、より直感的な理解が可能になっていることがおわかり頂けると思います。

■ **合成のバリエーション**

　図18では「折れ線×並列」の合成を用いています。この他にも合成には

図18　合成を用いて読みやすさを高めたスライド

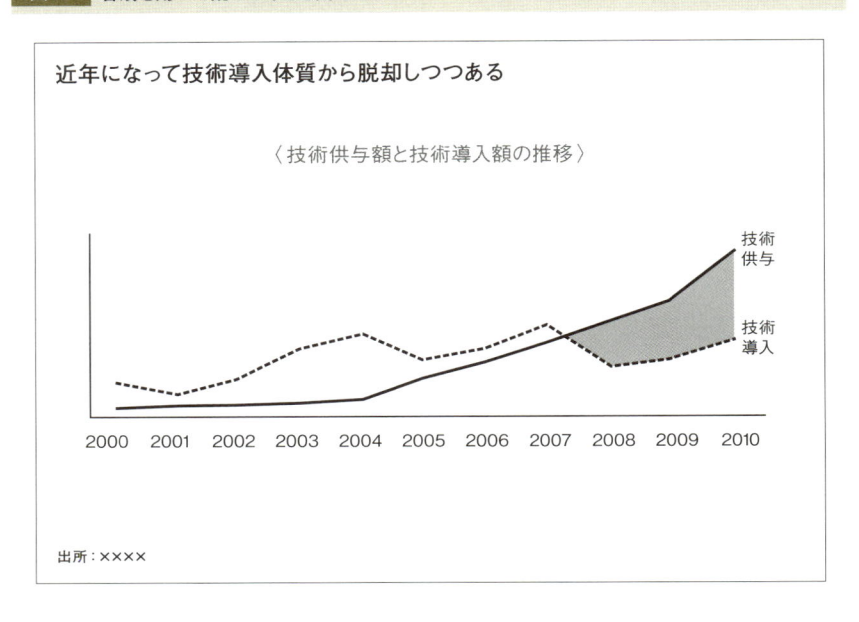

近年になって技術導入体質から脱却しつつある

〈技術供与額と技術導入額の推移〉

技術供与
技術導入

2000　2001　2002　2003　2004　2005　2006　2007　2008　2009　2010

出所：××××

「棒×積み上げ」「棒×並列」「折れ線×積み上げ」「折れ線×並列」「棒×折れ線」「散布図」といった合成があります。それぞれについて、ポイントをおさえておきましょう。

◾ 棒×積み上げ

図19は「棒×積み上げ」の合成の事例です。これは皆さんにとってはなじみのある棒グラフでしょうから「え、これって合成なの？」と思われるかも知れません。

しかし、合成というのは「2つのグラフを1つのグラフにする」ことですから、これも合成の一種と言えます。

この場合、もともとは市場別の商品Aの売上と商品Bの売上という2つのグラフを1つにしている、ということになります。

図19　「棒×積み上げ」の合成の例

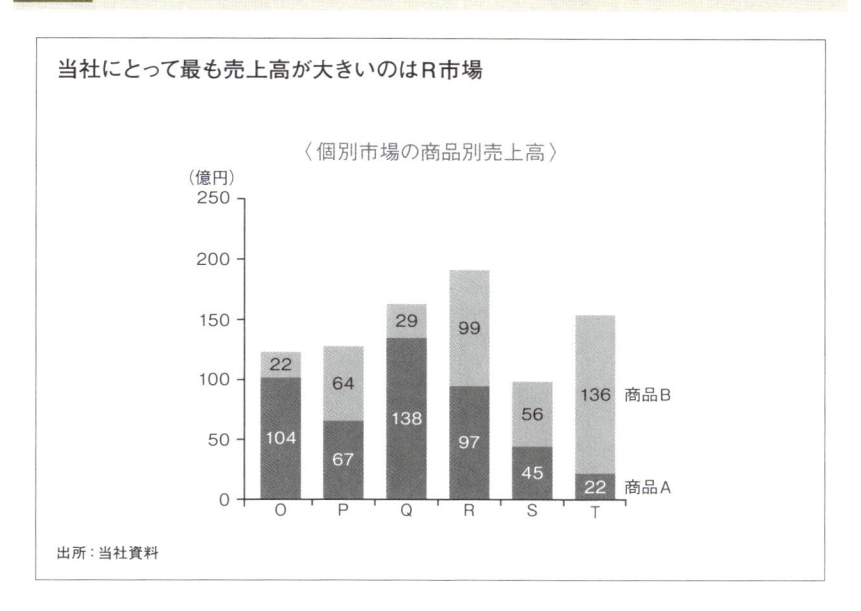

当社にとって最も売上高が大きいのはR市場

〈個別市場の商品別売上高〉

(億円)

市場	商品A	商品B
O	104	22
P	67	64
Q	138	29
R	97	99
S	45	56
T	22	136

出所：当社資料

この合成が可能になるのは、合成の対象となるデータの指標が同一（この場合であれば売上規模）であること、商品Ａと商品Ｂのグラフで表されている２つの数値を足し上げることに何らかの意味があることが必要になります。このグラフの場合、「当社にとってＲ市場が重要」というのがメッセージになりますが、これは商品Ａ、商品Ｂの市場別売上規模を見ていても見えてきません。つまり合成によって初めて見えてきた示唆ということになります。

　また、もとになっているグラフが「商品Ａの市場別投資額」と「商品Ｂの市場別売上高」だったとすると、この２つを足し上げることに意味はありません。もしそういった場合には、「棒×積み上げ」のアプローチは不適切であり、別の合成アプローチが必要になります。

　「棒×積み上げ」のアプローチは、「指標が共通」で「足し上げることで示唆が得られる」ケースに有効なのです。

■ 棒×並列

　「棒×並列」の合成が有効なのは、「指標が共通」だけれども、「足し上げることができない」数値を扱う場合です。

　例えば、先の図19のグラフのもとになっているデータが当社（Ａ社）の売上高と競合Ｂ社の売上高である場合、足し上げても意味はありません。むしろ個別市場ごとの売上高の多寡の比較が見たいので、この場合は合成をする場合には、図20の様にするのがいいでしょう。

■ 折れ線×積み上げ

　この合成は、ある特定の場合に用いられる「棒×積み上げ」の変則版とお考えください。どのようなケースでこれが用いられるかというと、横軸に時間軸を用いるケースです。その他の適用条件は「棒×積み上げ」と同じとお考え下さい。

　「折れ線×積み上げ」とほぼ同じ情報は「棒×積み上げ」でも視覚化が可

図20　「棒×並列」の合成の例

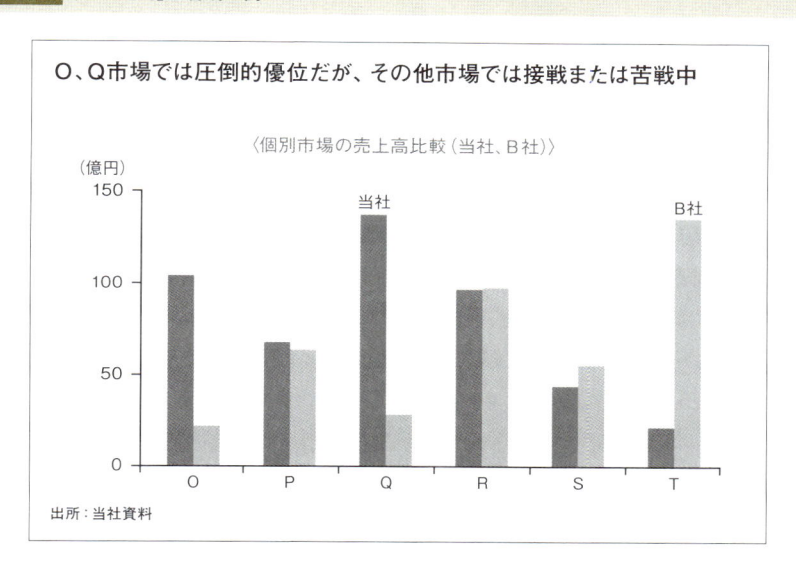

O、Q市場では圧倒的優位だが、その他市場では接戦または苦戦中

〈個別市場の売上高比較（当社、B社）〉

(億円)

当社　　　　　　　　　　　　　　　B社

出所：当社資料

図21　「折れ線×積み上げ」の合成の例

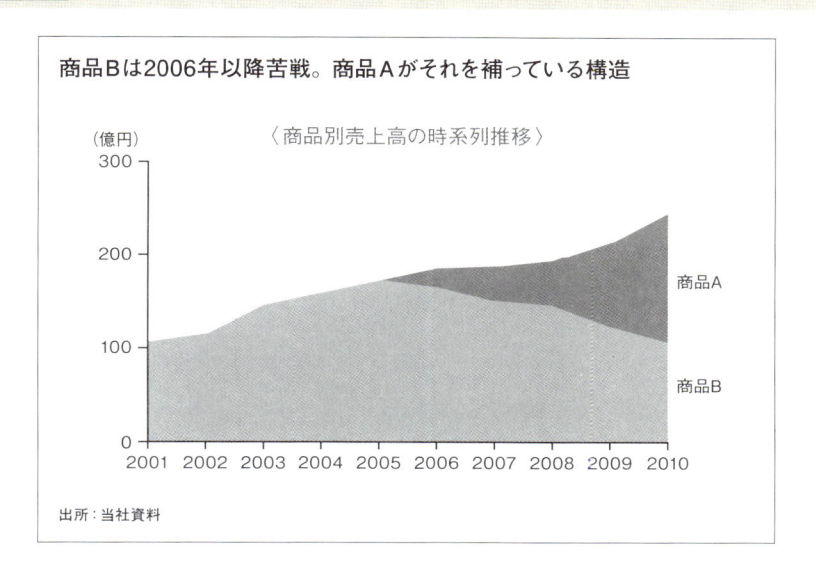

商品Bは2006年以降苦戦。商品Aがそれを補っている構造

〈商品別売上高の時系列推移〉

(億円)

商品A

商品B

出所：当社資料

PART 2　グラフの作り方

能です。しかし、例えば図21を見ればおわかり頂けると思いますが、折れ線を用いると横＝時間軸での動きがより明確に際立ってくるのです。要素間の縦軸の動きをより強調して見せたい場合は「棒×積み上げ」で、要素の時間軸でのダイナミックな変化を強調したい場合には「折れ線×積み上げ」が有効です。

■ 折れ線×並列

時系列での複数要素の変化を強調して見せたい時には「折れ線×並列」が最適な合成になります。先に模範例として提示した図18は典型的な「折れ線×並列」の合成です。

図22をご覧下さい。この図のもとになっている数値は図21と同じもので

図22 「折れ線×並列」の合成の例

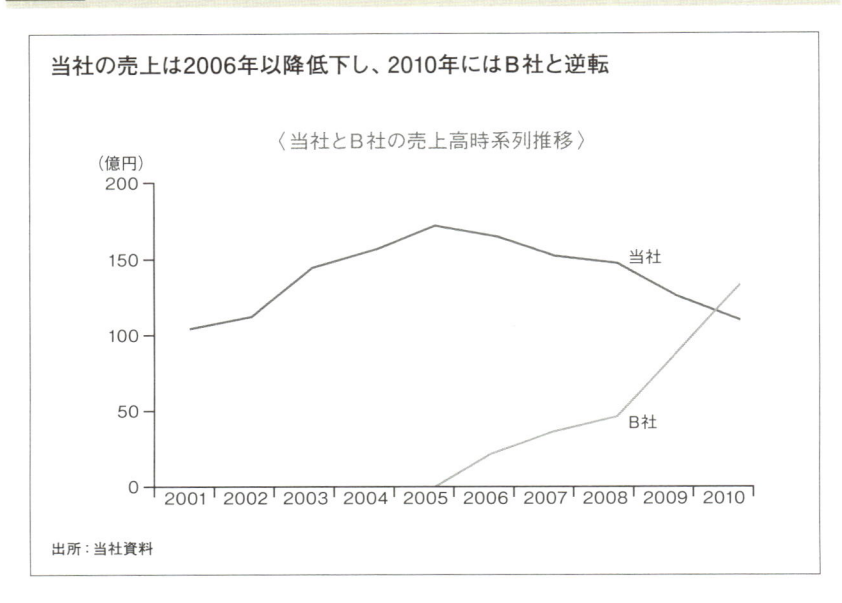

当社の売上は2006年以降低下し、2010年にはB社と逆転

〈当社とB社の売上高時系列推移〉

出所：当社資料

す。しかし図22では企業別の売上高としているため、この場合は積み上げても「2010年に売上でB社に抜かれた」というポイントが明確に示されません。

要素間の時間軸での動きを比較したい場合は「折れ線×並列」が最適な合成となります。

◼ 棒×折れ線

合成の対象となる2つのデータの指標が異なる場合は「棒×折れ線」が最適な合成となります。この合成が特に利用しやすいのは、売上高＝実数値と利益率＝比率といった、単位が異なる（＝従って目盛も異なる）数値データを組み合わせて扱う場合です。図23では売上高と営業利益率の時系列の数

図23　「棒×折れ線」の合成の例

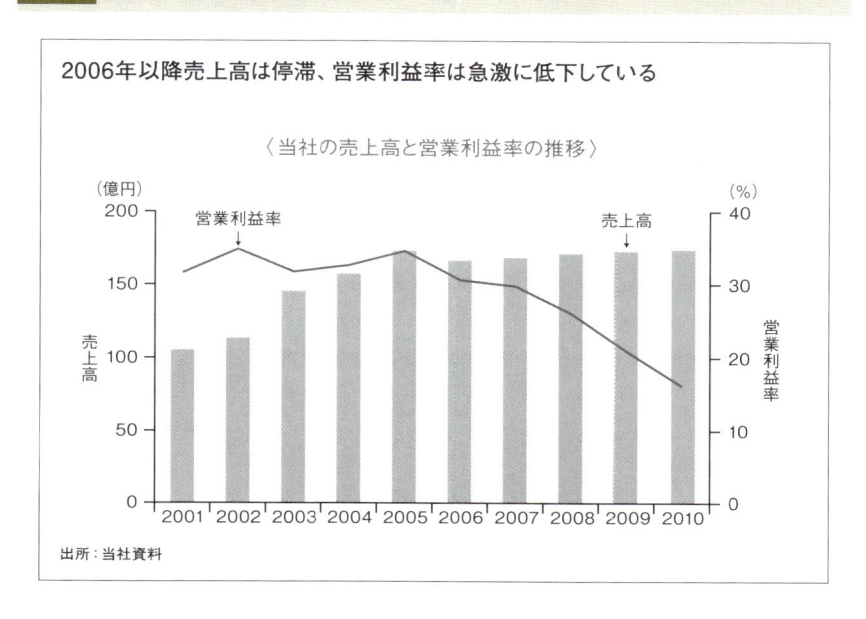

2006年以降売上高は停滞、営業利益率は急激に低下している

〈当社の売上高と営業利益率の推移〉

出所：当社資料

値を同時に1つのグラフで見せることで、事業環境が競争激化していること、それを受けて値引きによる価格競争が起こっており、そのために利益率が低下していることが示唆されています。

「棒×折れ線」の合成で気をつけなければいけないのが、軸とグラフそれぞれの指標を明らかにすることです。これは「棒×折れ線」に限った留意点ではないのですが、2つの異なる指標を扱う「棒×折れ線」の合成では、どの指標（売上高や利益率）がどのデータ（折れ線と棒グラフ）と軸（右軸か左軸か）に結びついているのかを明確化しないと意味不明なグラフになります。例えば図23では左の縦軸に売上高を、右の縦軸に営業利益率を、棒に売上高を、折れ線に営業利益率をあてていますが、これらの点をあいまいにすると混乱を招きます。

◼ 散布図

散布図は、縦軸と横軸に2つの数値データをとってデータ要素をプロットした図で、たとえば図24のようなものです。2つのデータの組み合わせ方のパターンによって意味合いが大きく変わって来る場合、散布図によってそれを明確化できます。

例えば前出の図20ではA社とB社の2つの会社の売上高を「棒×並列」のフォーマットを用いて並列棒グラフで表現していますが、図24は同じデータを用いて散布図を使って表現しています。

図24では、横軸に当社の売上高を、縦軸に競合B社の売上高をとって、各市場をプロットしています。従って右下の象限は「当社優勢」、左上の象限は「競合B社優勢」、右上の象限は「両社で激戦」、左下の象限は「両社劣勢」ということになります。このように散布図を用いて各市場の位置づけを整理することで、各市場のもっている「当社にとって優勢な市場か、劣勢な市場か」という特性がより明確に見えてきます。

2つのデータを組み合わせることで、単体のデータからは読み取れなかった意味合いや示唆が明確になった、という点では有名なBCGのプロダクトポートフォリオマネジメント＝PPMもそれに該当すると言えます。PPMで

図24　「散布図」の合成の例

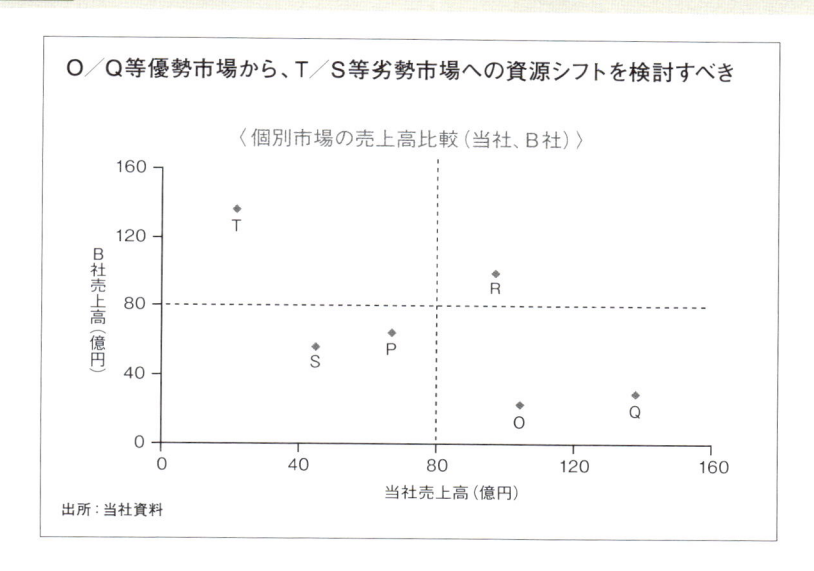

O／Q等優勢市場から、T／S等劣勢市場への資源シフトを検討すべき

〈個別市場の売上高比較（当社、B社）〉

（縦軸：B社売上高（億円）／横軸：当社売上高（億円））

出所：当社資料

は、横軸に相対的市場シェアを、縦軸に市場成長率をとり、散布図を作成した上で、グラフを4つの象限に区分して事業の位置づけを明確化しています。これも「市場シェア」と「市場成長率」を、それぞれ別個に見ていたのでは気づくことのない意味合いが、散布図によって初めて見出されることになったという点で、合成の一つの（そして見事な）サンプルと言えるでしょう。

■ **合成のやりすぎに注意**

合成は、適切に用いると大変エレガントにチャートを作成できることから、なれ始めると多用しすぎてしまう傾向があるので注意が必要です。同時に2つの指標を見せることで意味が際立ってくる、というケースにおいて合成は必須になりますが、必ずしも同時に見せる必要がないケースでは素直に2つのチャートを見せるほうが有効でしょう。

例えば図25は、セールスマンの評価を売上高だけではなく、貢献利益も加えて行うべき、というスライドですが、合成によってかえってわかりにくくなってしまっています。
　気持ちはわかるのですが、この場合、売上高と貢献利益で評価序列が異なる、ということを提示すればいいわけですから、セールスマン一人ひとりとヒモ付ける形で売上高と貢献利益の双方を見せる必要性はありません。そのように考えた場合、わざわざ合成を用いずに素直に図26のように見せるという手があります。
　図26ではデータの合成を行わずに、素直に売上高と貢献利益の2つの棒グラフを並べています。こうすると左側のチャートで売上高の大きさ順に並んだセールスマンが、貢献利益という面では必ずしもその通りの順番にならない、ということが一目でわかるのでメッセージの読みやすさは図25よりも高いことがおわかり頂けると思います。

図25　合成によってかえってわかりにくくなったスライド

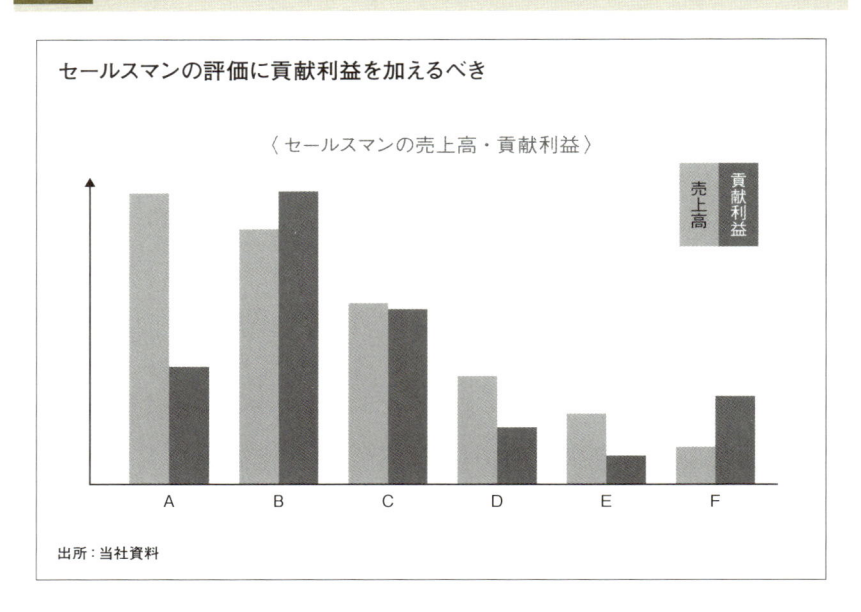

セールスマンの評価に貢献利益を加えるべき

〈セールスマンの売上高・貢献利益〉

　　　　　　　　　　　　　　　　　　　　　　　売上高／貢献利益

　　　A　　B　　C　　D　　E　　F

出所：当社資料

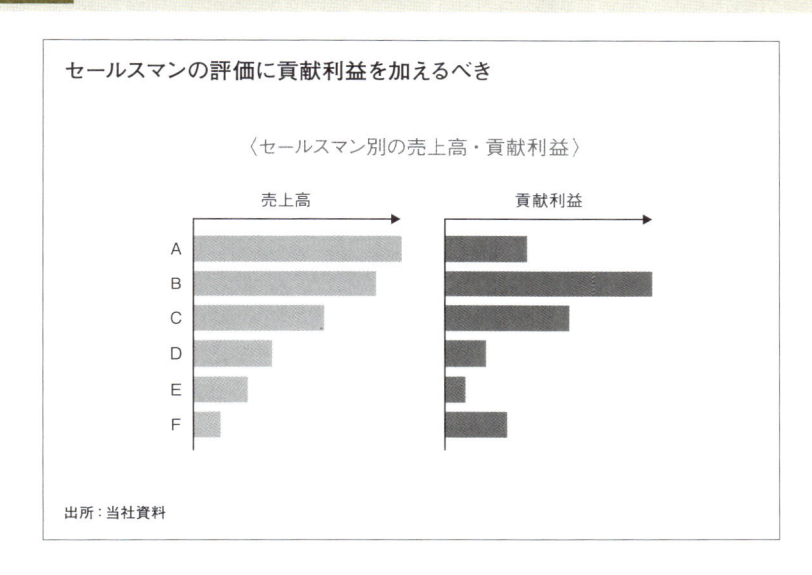

図26　合成をやめたことで読みやすさが改善したスライド

セールスマンの評価に貢献利益を加えるべき

〈セールスマン別の売上高・貢献利益〉

売上高　　　　　貢献利益

A
B
C
D
E
F

出所：当社資料

■ 合成のやりすぎを防ぐヒント

「その合成が適切かどうか」を判断する方法として、自分でそのスライドを口頭でプレゼンしてみるという方法があります。口頭でプレゼンしてみてどうにも説明がしにくい、と思ったらそのスライドは適切なグラフフォーマットや合成を採用できていない可能性があるからです。

たとえば図26の場合、プレゼンは「売上高の大きいセールスマンの貢献利益が必ずしも大きくない」といった内容になりますが、そうなるとプレゼンで訴えるべきポイントは「売上高の多いセールスマンの貢献利益」になりますから、主語を規定する情報の順序とスライドの構造がそろっている必要があります。この場合、「売上高の多いセールスマン」という最初の言葉によって、見る側の視点は左側のチャートに向けられ、AからFまでのセールスマンの売上高の序列を確認することになります。

その後で、「彼らの貢献利益の大きさは必ずしも売上高の多少によらない」という点に言及するに当たって、今度は視線が右側に移動し、プレゼンする

人間の言おうとしているポイントを理解してもらうことになります。こういった情報伝達の順序を想定するのであれば、図25のような、説明の順序と関係のない構造はなるべく避けるべきでしょう。

■ ラベルを使うことで散布図をより効果的にする

　図26の分析を合成を使って視覚的に訴えようとした場合、図27のような散布図を考える方もいらっしゃるかも知れません。

　先述した通り、たしかに散布図は2つの数値を座標軸で表示できる合成の強力なツールなのですが、見る人のリテラシー次第ではかえって混乱を招くことになるので注意が必要です。

　このグラフもそうですが、散布図にしたことで売上高の序列も貢献利益の序列もかえってわかりにくくなってしまっています。このスライドでは、売上高の評価序列が、必ずしも貢献利益の評価序列と同じにならない、ということがメッセージを支えるサポートになっているので、散布図よりは図26のような素直な見せ方の方がいいでしょう。

　微妙な差なのですが、合成において散布図を用いるべきなのは、例えば図28のようなケースです。

　このスライドでは、取引先各社との購入金額、販売金額をそれぞれ縦軸、横軸にとった散布図を用いています。購入金額が大きければ大きいほど、先方にとって当社が大口の顧客ということであり、交渉力も大きくなります。一方、販売額が大きくなればなるほど、弊社にとって先方が大口の顧客ということになり、交渉力は小さくなります。このスライドは、当社にとって大口の顧客であるA社からの購入を打ち切るのは、販売面へ悪影響を及ぼす恐れがあることを示し、販売額の小さいE社を切るべきだ、と提言しているわけです。

　これを先ほどの図26のような棒グラフを2つ用いたグラフフォーマットで伝えようとしてもなかなかビビッドに伝わってきません。なぜ伝わってこないかというと、この分析では販売額と購入額という2つの指標を組み合わせたその結果にこそ示唆があるからです。その示唆を更に明確化しようとする

図27　売上高と貢献利益を横軸、縦軸にした散布図

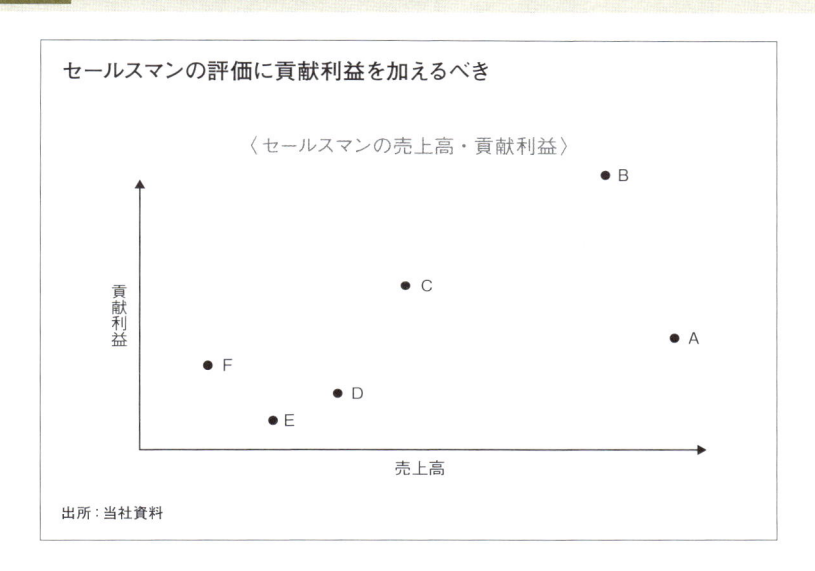

```
セールスマンの評価に貢献利益を加えるべき

        〈セールスマンの売上高・貢献利益〉

         ↑
         │                          ● B
   貢     │
   献     │
   利     │           ● C
   益     │                              ● A
         │  ● F
         │       ● D
         │      ● E
         └──────────────────────→
                   売上高

出所：当社資料
```

図28　散布図によって示唆が明確になったスライド

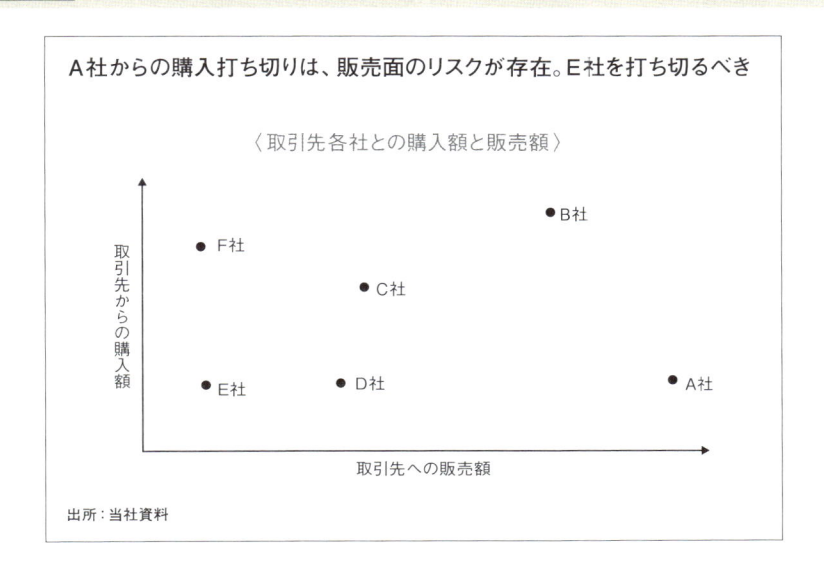

```
A社からの購入打ち切りは、販売面のリスクが存在。E社を打ち切るべき

         〈取引先各社との購入額と販売額〉

         ↑
         │                          ● B社
  取     │
  引     │  ● F社
  先     │
  か     │        ● C社
  ら     │
  の     │
  購     │
  入     │  ● E社   ● D社           ● A社
  額     │
         └──────────────────────→
                取引先への販売額

出所：当社資料
```

PART 2　グラフの作り方　055

と、図29のように意味合いをラベルとして加えるという手があります。横軸に当社からの販売額、縦軸に当社による購入額と設定すれば、そこの数値の大小が意味するところは明確ですが（つまり販売額が大きければ大事なお客様、購入額が大きければ無理を言える取引先ということ）、それをラベルにしてしまうことで更にチャートのメッセージを明確化することが可能です。

図29では、販売額・購入額の平均で散布図の象限を4つに分割することで、取引先との関係を「相思相愛」「当社片思い」「先方片思い」「冷めた関係」と整理しています。そしてもちろん、購入を打ち切るような関係は「冷めた関係」にある取引先から行うべきであることをメッセージとして伝えているわけです。

このように2つの指標を組み合わせることで初めて意味合いが明確になるようなケースでは、散布図は大変パワフルな視覚化のツールになります。

図29　意味合いをラベル化して挿入し、位置づけを明確化したスライド

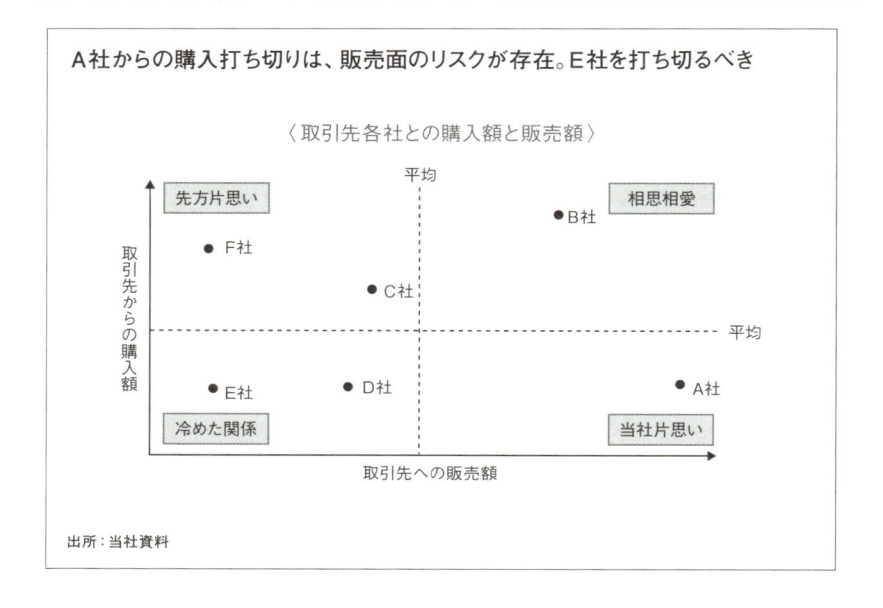

A社からの購入打ち切りは、販売面のリスクが存在。E社を打ち切るべき

〈取引先各社との購入額と販売額〉

出所：当社資料

■ 合成スライドのお手本

　もともと抽象度の高いデータを合成して見せるときには、皮膚感覚でわかりやすいかどうかが大変重要になってきます。その点について理想的といえる合成のサンプルが図30です。

　これはナポレオン軍によるロシア遠征において、兵士の数がどのように変化したかを説明しているチャートです。地図上の長さで移動距離を、兵士の数を太さ（灰色を往路、黒色を復路）で示すことで、モスクワに到達する前に多くの兵士が脱走でいなくなったこと、また戦場を離れた後も多くの死者が出ていること、つまり本当の敵はロシア軍ではなく「士気の低さ」と「寒さ」であったことを圧倒的にわかりやすく表現しています。

　この場合、合成されているのは移動距離と兵士の数ですが、これを普通の数値として提示してしまっても、この悲惨さはまったく伝わってきません。

図30　直感的にわかりやすい合成

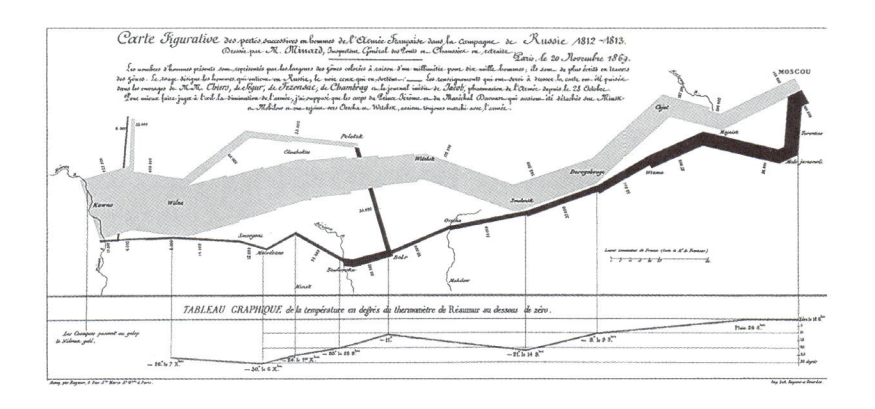

出所：Tableaux Graphiques et Cartes Figuratives de M. Minard

8 フォーカスする

◼ 訴求ポイントを明確にする

　グラフの訴求ポイントを明確にする、というのはわかりやすいスライドを作成するうえで非常に重要なポイントです。いくらメッセージが明快でもグラフの訴求ポイントが不明確であれば、読む人はそのメッセージを支えるデータをグラフから読み取ることができません。そこで必要になるのが、訴求ポイントを明確にする「フォーカス」という手法です。

　では、フォーカスには具体的にどのような方法があるのでしょうか。次章で説明するチャート（概念や関係・構造を視覚化したもの）については様々なテクニックがありますが、グラフや表の場合「線を濃くする」「シェード（網かけ）をかける」という2つの方法論しかありません。

◼ 線を濃くする

　「線を濃くする」という方法論では、技術導入額と技術供与額の比較を著した前出の図18のグラフや、当社とB社の売上高を比較した図22などが典型です。両方のグラフともに、より濃い線でフォーカスを誘導しています。特に図18の場合、技術導入額と技術供与額が逆転したところから、その差分にシェードをかけることでより強調しています。

◼ シェードをかける

　例えば図31を見て下さい。棚の2割のシェアを占める商材で粗利益の6割を稼いでいる、ということを伝えたいわけですが、各商材の識別のために

シェードが使われているので、メッセージがいまひとつシャープに伝わってきません。

なぜメッセージが伝わってこないかというと、グラフの要素間の区分のために濃度を変えているので、メッセージとグラフ上のフォーカスがずれてしまっているからです。

メッセージはそもそも「伝えたいこと」にフォーカスを当てたものになっているのですから、グラフ上にもメッセージと符合するかたちでフォーカスを当てることが必要になります。この場合、伝えたいメッセージのポイントは、商材A、Bの棚面積の小ささと、それに対応する貢献利益の大きさですから、その部分に思いっきりフォーカスが向けられるような工夫をしておくべきでしょう。

図32では商材A、Bのみにシェードをかけてフォーカスを明確化することで、伝えたいメッセージを明確化しています。

図31 メッセージとフォーカスがずれているスライド

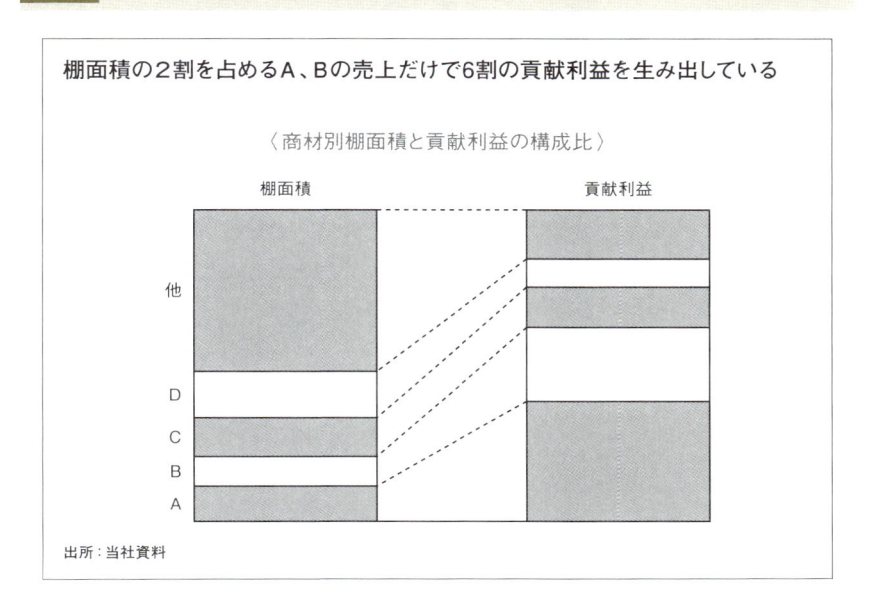

棚面積の2割を占めるA、Bの売上だけで6割の貢献利益を生み出している

〈商材別棚面積と貢献利益の構成比〉

出所：当社資料

この点については、すでに何度も指摘している点ですが、メッセージを明確化することは何にも増して大切です。メッセージがシャープになればなるほど、グラフでフォーカスを当てるべき箇所も明確になります。逆に言えば、グラフのどこにフォーカスを当てるかが明確にならないのであればそれはグラフフォーマットの問題ではなく、そもそもメッセージに問題があるということです。

■ フォーカスは引き算で考える

　フォーカスに関する教訓として、1つ指摘しておきたいのが「引き算による強調」という意識です。フォーカスとは、つまり強調のことですが、熱心さがたたってすべての項目を強調してしまい、結果的に何が強調されているのかよくわからない資料がまま見られます。本人にしてみればすべて重要だ

図32 メッセージとフォーカスを一致させたスライド

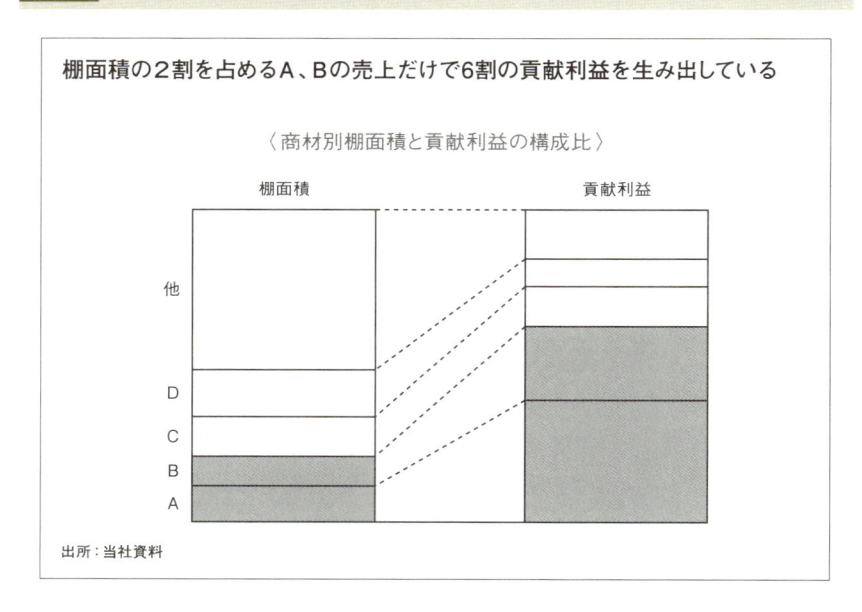

棚面積の2割を占めるA、Bの売上だけで6割の貢献利益を生み出している

〈商材別棚面積と貢献利益の構成比〉

出所：当社資料

ということなのかも知れませんが、情報デザイン論におけるいわゆる「ヒックの法則」[*4]では、意思決定にかかる時間は選択肢の多さに比例するので、こういった資料は大変困った資料だということになります。

　ここで重要になってくるのが「引き算」によるフォーカスです。何かを足すより、むしろ何かを引くことで、フォーカスを当てたい事象を浮かび上がらせるということです。本当に伝えたい一点に絞り込んで、残りは大胆に単純化するか、あるいはスライド上から消してしまうという考え方です。極端な場合、口頭でのフォローが可能なのであれば、他の情報はすべて消すことによって強烈なフォーカスを発生させることができます。

　故スティーブ・ジョブズはプレゼンの名手、とよく言われますが、彼の用いるスライドは、キーワードのみが記されていて他の情報は大胆に捨象されている点によく注意して下さい。口頭でのフォローが可能であれば情報はあそこまで捨象できるということです。

[*4] ユーザーの意思決定にかかる時間は選択行為におけるエントロピー量に比例するという考え方。単純に言えば、選択肢が多くなれば決断にも時間がかかる、ということ。ヒックの法則の方程式は $RT=a+b\log_2(n+1)$ で、RT＝反応時間、a＝意思決定を除く所要時間、b＝実験により得られた定数、n＝選択肢の数となっている。

9 「そのもの」をフォーマットに使う

■ 抽象化・概念化することがベストとは限らない

いわゆる折れ線グラフや円グラフ、棒グラフといったグラフのフォーマット以外に、地図や人体といったそのものズバリをグラフフォーマットに使うという方法も有効です。

例えば図33は、鍼灸の教科書に掲載されている経絡、つまり「つぼ」の図解ですが、この図では、つぼの位置を示すのにそのままヒトの図形をグラフフォーマットとして用いています。

スライド作成は基本的に抽象化の作業になるので、作成者はどうしても観念的な方向につねに情報を処理するバイアスがかかります。そうするとすべての情報を言語化、数値化しようとしてしまいがちなのですが、そのものズバリを使ってしまって説明した方がわかりやすいケースも多々あります[*5]。

後でも出てきますが、地図上に情報を載せるのはその典型的なケースでしょう。つまり一般的に言われている棒グラフや折れ線グラフだけが採用するべきグラフフォーマットなのではない、ということです。

■ そのものをグラフに使うお手本

図33、34はグラフフォーマットに人体や地図といった「そのもの」を用

[*5] 友人が中国で医者を訪れた際、診察室にマネキン人形があって「どこが痛いか、これを使って指せ」と言われたらしい。確かに口で説明するよりはわかりやすいのだろう。これも情報を抽象化して言語記述するより位置関係で示した方がわかりやすい、ということの一例。

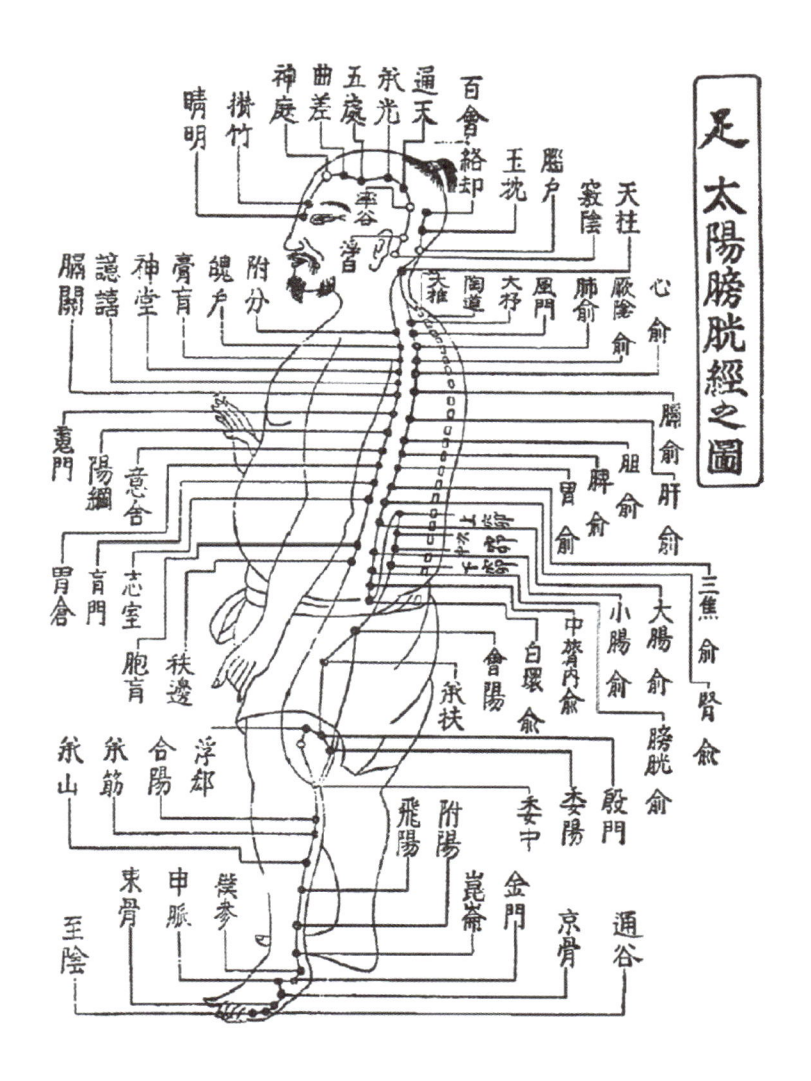

図33　適切なフォーマットは地図や人体等、そのものズバリということもある

出所：類経図翼図譜、鍼灸指圧自然堂

いた例ですが、これらの情報を人体図や地図を用いずに伝達すると読みやすさが著しく低下することでしょう。

例えば図34では、一見して中西部よりもむしろ東海岸で失職者の増加が著しいことが見て取れますが、他の情報整理の方法、例えば州を人口の多い順あるいは設立年順に並べたりして、そのリストに失職者の数を記述しても、相対的に東海岸の方で失業問題が深刻化しているということは全く読み取れないでしょう。

作成者はつねに何が最も強調したい点なのかを明確化したうえで、それが最もビビッドに伝わるグラフフォーマットを選択する必要があります。

図34　地図をそのまま使うのも有効なアプローチ

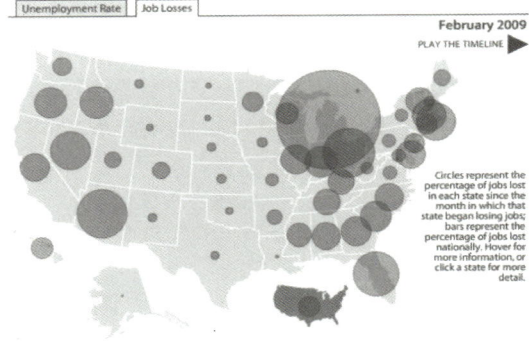

出所：Center for American Progress

10 数値の動きを視覚化する

■ 視覚的に「流れ」を表現する

　読みやすさを高めるためのコツとして、データ間の関係性をグラフに反映させるという技があります。図35を見て下さい。これは、本来得られておかしくない営業利益に対して、人件費の上昇と流通値引きによって営業赤字が発生する恐れがある、ということを指摘しているスライドですが、データ

図35　データ間のつながりがわからないため読みにくい

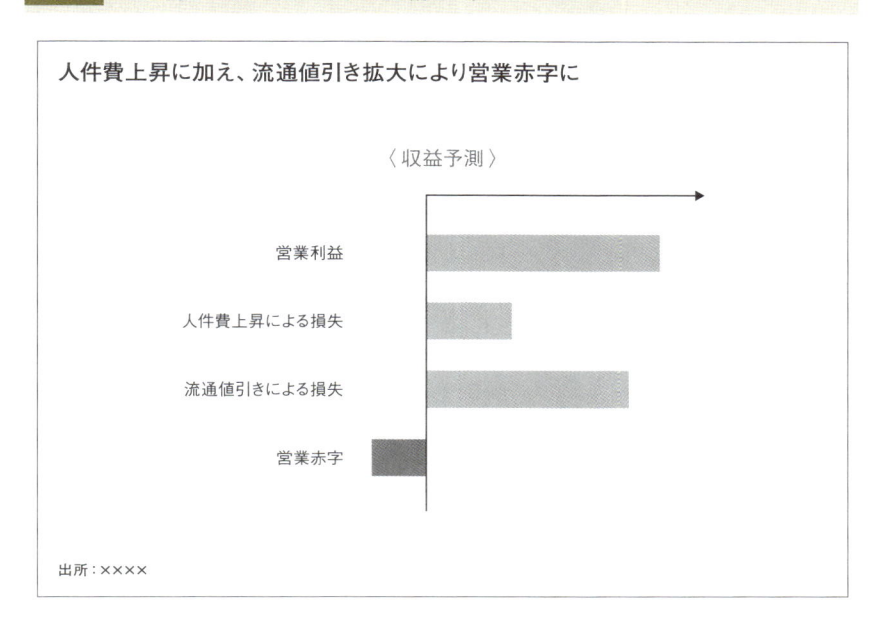

人件費上昇に加え、流通値引き拡大により営業赤字に

〈収益予測〉

営業利益
人件費上昇による損失
流通値引きによる損失
営業赤字

出所：××××

同士の関係がわからないので、グラフを読んでもメッセージが素直に伝わってきません。

人件費上昇による損失と流通値引きによる損失を足し合わせて営業利益から引くと営業赤字になる、ということを説明したいわけですが、データ間のつながりがよくわかりません。しかし、同じグラフフォーマットを用いても、図36のように書き換えるとグッとデータ間のつながりがわかりやすくなり、グラフが読みやすくなります。

図36では、営業利益がどのように減少して赤字に陥るか、という流れの説明をそのままビジュアル化したわけですが、こういった「流れ」の説明では矢印の活用が大変有効になります。矢印は、断面図でしかないデータの動的な関係性を可視化する役割を担います。

図36 データ間のつながりが把握できるようになり、読みやすさが改善

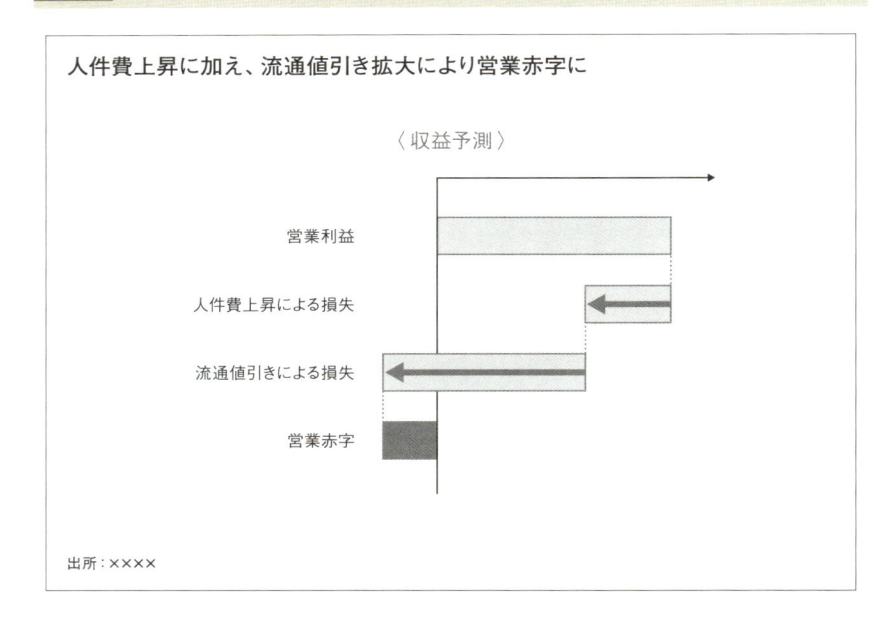

人件費上昇に加え、流通値引き拡大により営業赤字に

〈収益予測〉

営業利益

人件費上昇による損失

流通値引きによる損失

営業赤字

出所：××××

■ 滝グラフ

　数値の動きをグラフ上に反映させるフォーマットに、図37のような滝グラフがあります。左端に「前」、右端に「後」の数値を置いて、その数値変化の経緯の要素を横軸に、インパクトを縦軸にとって提示することで、数値変化の要因を直覚的に把握することが可能になります。

　数値の変化を説明する際に、複数の要因が作用しているような場合、要素を横軸に並べ、変化に与えたインパクトの大きさを縦軸で表現することで大変わかりやすいグラフを作成することが可能です。私が知る限り、滝グラフを作る機能はエクセルにはなく、わざわざ積み上げ型の棒グラフを作ってから色と線を消していくという面倒な作業が必要になるのですが、非常に効果

図37　滝グラフのサンプル

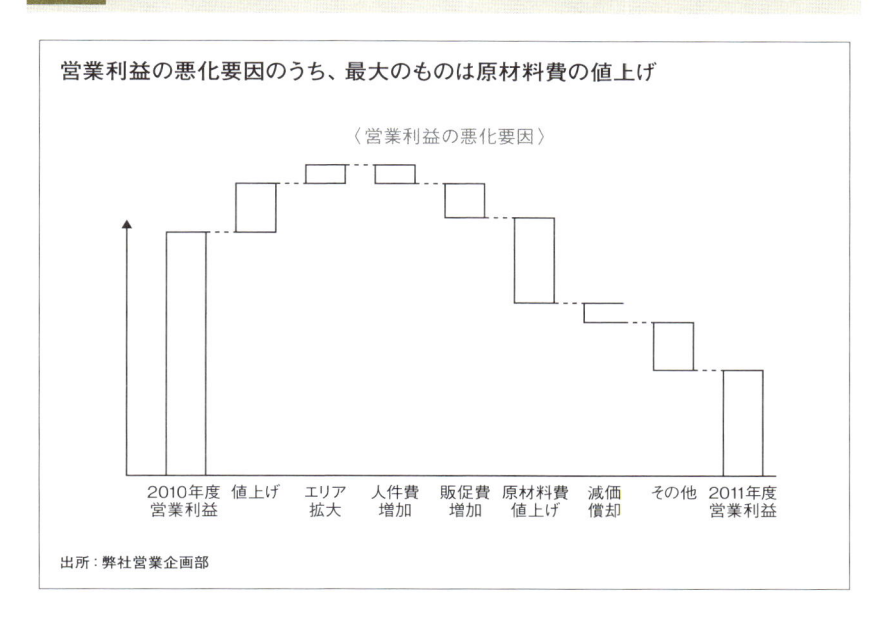

営業利益の悪化要因のうち、最大のものは原材料費の値上げ

〈営業利益の悪化要因〉

2010年度営業利益　値上げ　エリア拡大　人件費増加　販促費増加　原材料費値上げ　減価償却　その他　2011年度営業利益

出所：弊社営業企画部

的なフォーマットなので是非トライして下さい。

■ 数値の動きを視覚化するスライドのお手本

　図38は『ニューヨーク・タイムズ』に掲載されたギリシャ財政破綻に関する記事に用いられたチャートです。矢印の向きと太さによって欧州における各国間の金の貸し借りの関係が一目でわかるようになっています。

　同じ情報量は、縦軸に借りる側、横軸に貸す側を記載してマトリックスに数字を埋めれば伝達可能ですが、ギリシャの負債は一般に言われるほど大きいわけではないという情報を伝達するには図37のようなグラフフォーマットの方が遥かに適切だということがおわかり頂けると思います。

図38　データ間の関係性を明確化すると読みやすいスライドになる

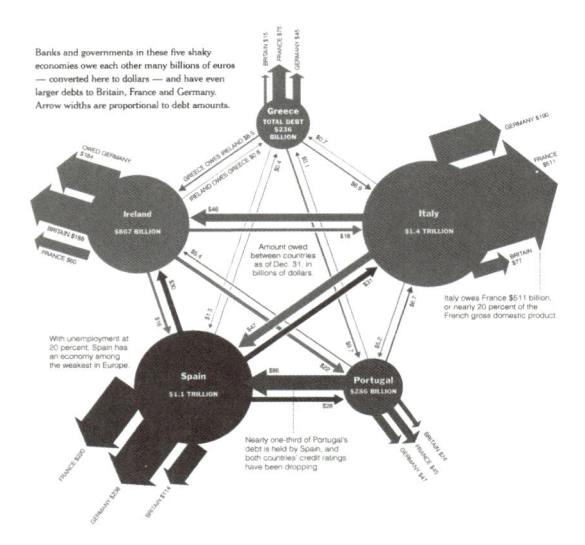

出所：The New York Times

11 グラフ間の関係を明確化する

■ 複数のグラフを1つのスライドで見せる際のテクニック

　グラフのデータを見てすぐにメッセージが理解できるよう、データそれぞれの関係性が一目でわかるようにしておくことも重要です。図39はスポーツクラブの顧客アンケートの結果を分析したものです。それぞれのデータはそれなりに面白いのですが、個別のデータのつながりがいまひとつよくわか

図39　グラフ間の関係がわかりづらいスライド 1

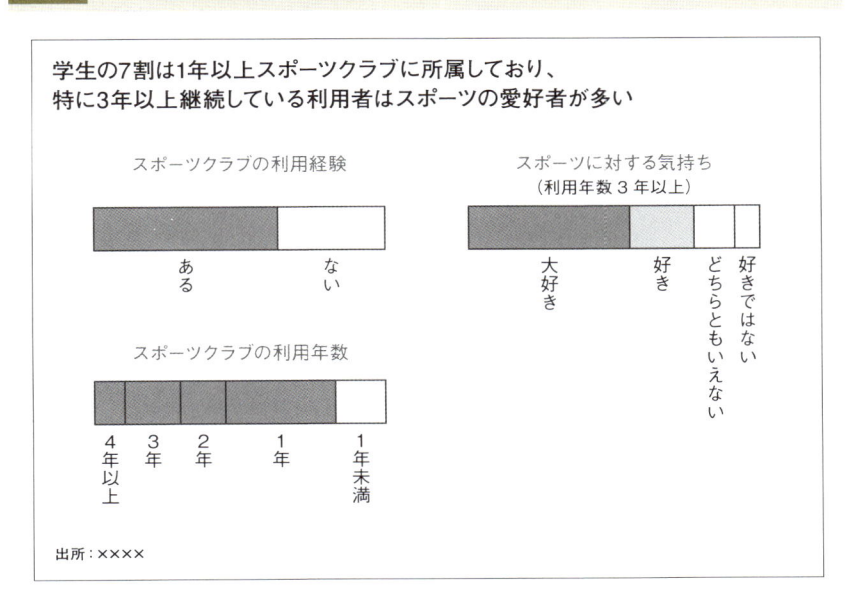

学生の7割は1年以上スポーツクラブに所属しており、
特に3年以上継続している利用者はスポーツの愛好者が多い

スポーツクラブの利用経験
ある　　ない

スポーツに対する気持ち
（利用年数 3 年以上）
大好き　好き　どちらともいえない　好きではない

スポーツクラブの利用年数
4年以上　3年　2年　1年　1年未満

出所：××××

りません。これは3つのグラフの構造がスライド上に示されていないために発生する問題です。特に構成比を扱う場合、数値のおおもととなる母集団をつねに明確化することが重要です。

図39の場合、「スポーツクラブの利用年数」を算出するための母集団は、スポーツクラブの利用経験「あり」の人たちなので、まずその関係性をスライド上に反映させる必要があります。更に、3年以上の継続利用者はスポーツを大変愛好しており、それが継続の動機になっていることが示唆されているので、利用年数のグラフとスポーツに対する態度のグラフの関係性もスライド上に反映させるとわかりやすくなります。

これらの点を反映させると図40のようになります。各チャートの関係性が一瞥で把握できるようになり、見やすくなっています。

図40　グラフ間の関係が明確なスライド1

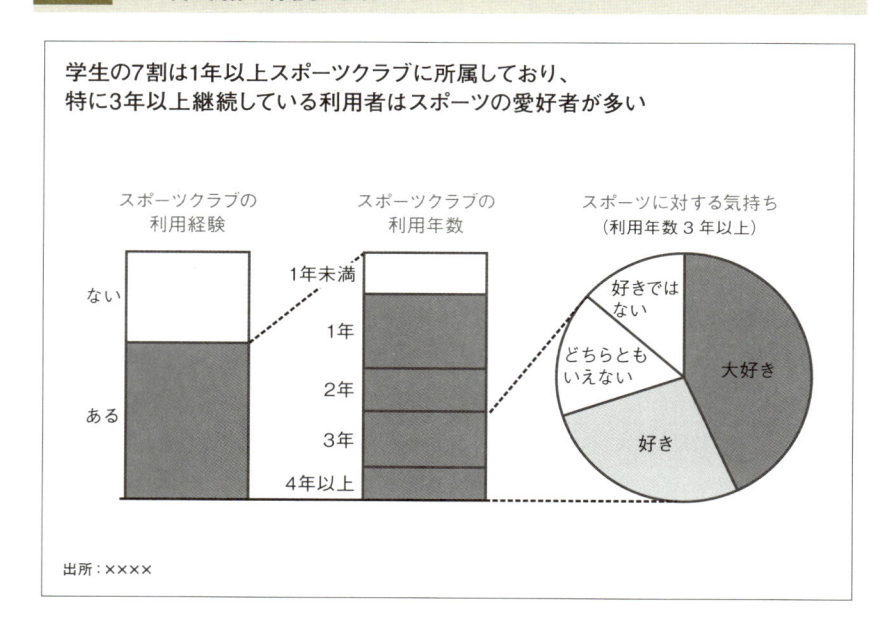

学生の7割は1年以上スポーツクラブに所属しており、
特に3年以上継続している利用者はスポーツの愛好者が多い

スポーツクラブの利用経験／スポーツクラブの利用年数／スポーツに対する気持ち（利用年数3年以上）

出所：××××

また、情報間の階層構造を明確にすることも、グラフ間の関係性を把握させるためには重要です。図41は、一見それなりに綺麗にデータを並べていますが、個別データの関係性がいまひとつ掴みにくいスライドです。「シェア」という構成比系のデータであるにもかかわらず、データ間の母数と構成比の階層関係が掴みづらいのがその原因で、地域別市場規模と全市場での当社シェア、それと地域別のシェアの数値がどのような関係にあるのかが一見してわかりません。普通に考えると地域別市場規模の合計値＝全市場の数値ということは推察されるのですが、すべてが並列に並んでいるためにそれがなかなか伝わってきません。

　この場合、図42のように書き換えることが可能です。こうすれば各数値の関係性を一目で理解することが可能になり、市場規模の大きい北米でシェ

図41 グラフ間の関係がわかりづらいスライド 2

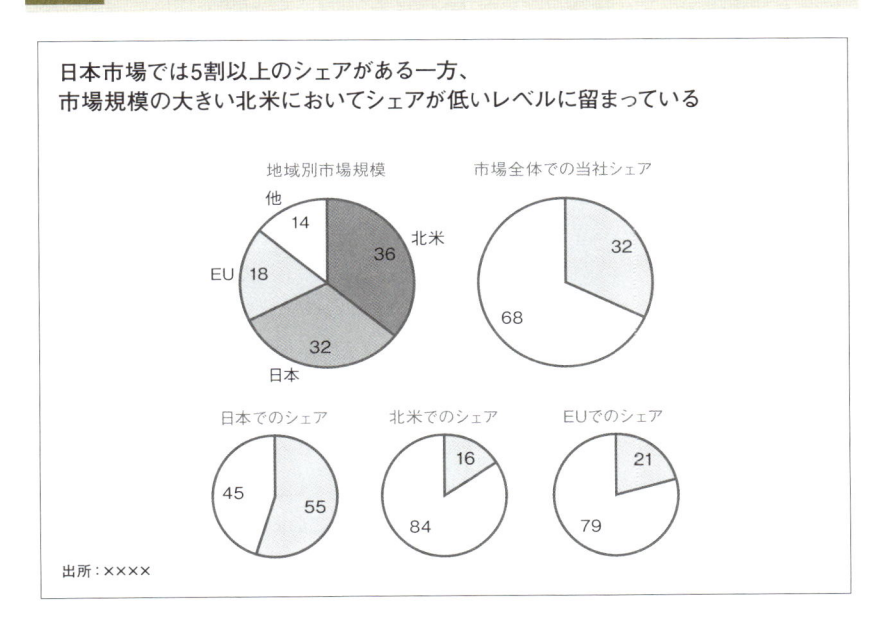

日本市場では5割以上のシェアがある一方、
市場規模の大きい北米においてシェアが低いレベルに留まっている

地域別市場規模　　　　市場全体での当社シェア
他 14　北米 36　　　　32
EU 18　　　　　　　　68
日本 32

日本でのシェア　　北米でのシェア　　EUでのシェア
45 / 55　　　　　16 / 84　　　　　21 / 79

出所：××××

PART 2　グラフの作り方　071

アが低いレベルに留まっているという問題点がすぐに伝わります。

ポイントは、数量として同じ大きさのものはスライド上にも同じ大きさで記載するということと、構成比の関係を形成するものについては、それがどのような関係なのかを明示的にすることです。

図41には大きな問題が2つあります。1つは、市場の合計を示すグラフとして「地域別市場規模」と「市場全体での当社シェア」の2つが用いられているのですが、これらの合計値が同じなのかどうかについての明確なガイドがないという点です。そしてもう1つが、地域別市場規模の円グラフと、市場全体を示す2つの円グラフの関係性を理解するためのガイドがないという点です。図42では「地域別市場規模」と「市場全体の当社シェア」の棒グラフの高さが同じであり、またそれら2つの棒を点線で結びつけることで、

図42　グラフ間の関係が明確なスライド 2

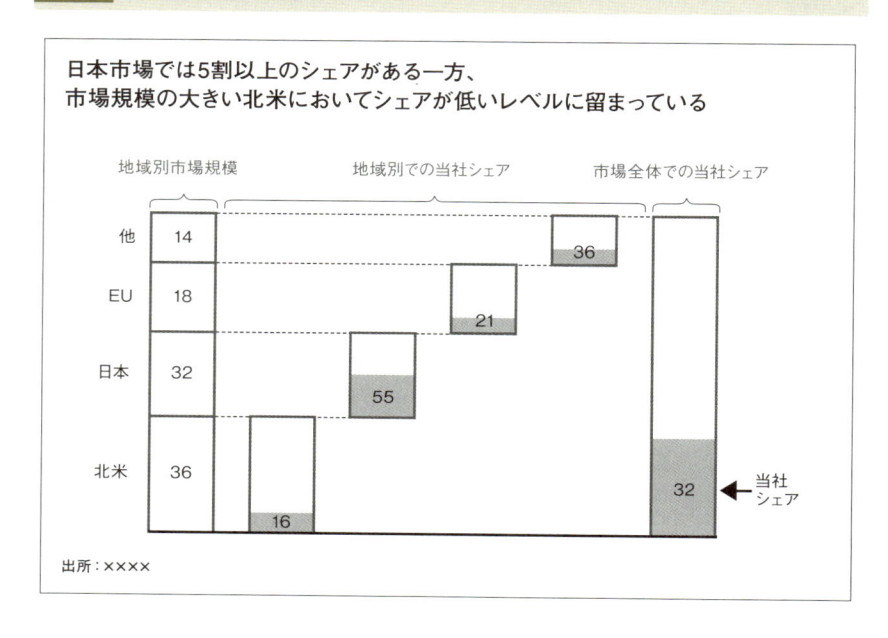

日本市場では5割以上のシェアがある一方、
市場規模の大きい北米においてシェアが低いレベルに留まっている

| 地域別市場規模 | 地域別での当社シェア | 市場全体での当社シェア |

他	14		36	
EU	18	21		
日本	32	55		
北米	36	16		32 ← 当社シェア

出所：××××

この2つのグラフの合計値が同じであることを視覚的に訴求しています。その上でさらに、「地域別での当社シェア」の項目が、地域別市場規模をMECEに分解したものであることが、やはり同様に点線を用いることで容易に理解できるように描かれていることがおわかり頂けると思います。

更に図42の読みやすさを高めようとすると、図43のような表現も考えられます。図42では売上規模は縦軸の「長さ」で規定されるわけですが、図43の場合、横軸の市場規模×縦軸のシェアの掛け算、つまり「面積」によって規定されることになります。掛け算で量を規定することになるので、読み手のリテラシーが低いとむしろ理解度が下がる可能性も考えられるのですが、このレベルまでくると情報のわかりやすさは同等なので、あとはプレゼンテーションの仕方や強調点によって使い分ければいいと思います。

図43　図42の改善案

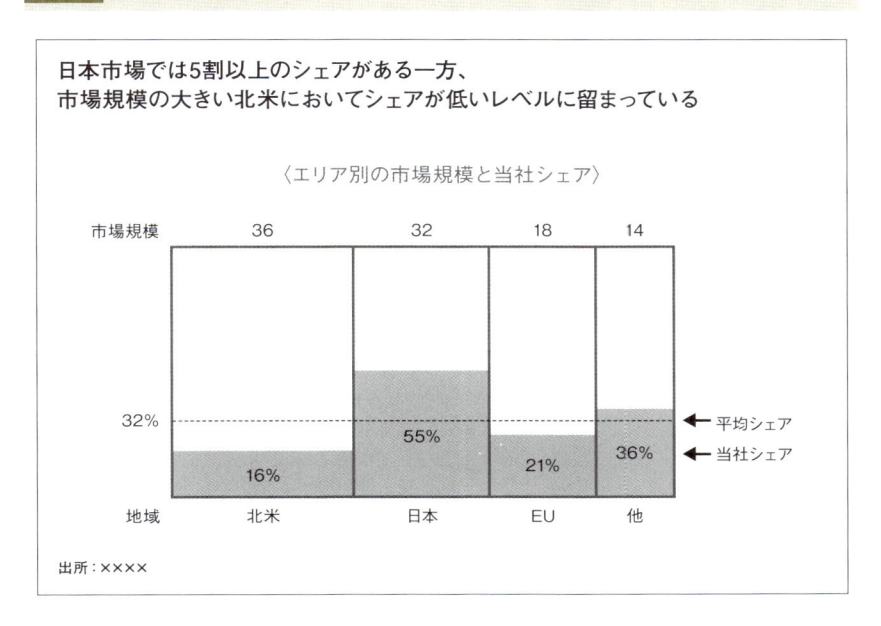

**日本市場では5割以上のシェアがある一方、
市場規模の大きい北米においてシェアが低いレベルに留まっている**

〈エリア別の市場規模と当社シェア〉

市場規模	36	32	18	14
	16%	55%	21%	36%
地域	北米	日本	EU	他

32% ← 平均シェア
← 当社シェア

出所：××××

12 さらなる上級者になるためのヒント

■ 引き出しを増やす

　ここまで具体的な例を用いながら、グラフの作成方法について述べてきました。なんだか、とてもじゃないけどその都度最適な表現方法を採用するのは無理そうだな、と思われた方もいらっしゃるかも知れません。

　確かに、グラフの作成は、「指標の選び方×グラフフォーマットの種類×その組み合わせ方法」の分だけ存在することになるので、毎回最適な表現方法を選ぶのは難しいように思えるかも知れません。しかし実際のところ、最適な表現方法をその都度選べるかどうかは、センスよりも「引き出しをどれくらい持っているか」にかかってきます。

　引き出しを増やすためには、人それぞれいろいろなアプローチがあるかと思いますが、私が若いころからやっていたのは、自然科学や社会科学分野の主要な論文や書籍に接して、「これはいい表現だな」と思ったグラフやチャートについてはスクラップしておくというものです（最近では写真やPDFにとってEVERNOTEで保存しています）。

　グラフに関してはビジネス文書の平均点は科学論文のそれに遥かに及んでいません。お手本を探すのであれば、中途半端なビジネス書を読むよりもアカデミックな論文や書籍に接した方が効果は大きいでしょう。

　例えば自然科学の論文だと英国の『Nature』や米国の『Science』が有名ですが、これらの雑誌に掲載されている論文で用いられているグラフはどれも大変洗練されているので参考になるはずです。『Nature』については、最近では『Nature Digest』というタイトルで日本語のダイジェスト版も発刊されていますので、興味のある方は是非購読してみるといいでしょう。

■ 真似て学ぶ

　引き出しを増やすという点でもう一つおすすめするのが、身の回りのスライド作成の達人が作った資料を集めて模写するということです。

　最近ではセキュリティが厳しくなってしまったのでなかなか難しいかも知れませんが、筆者が電通にいたころは深夜や早朝に会社に行って、いわゆるエースと呼ばれる人たちの机の上の資料を片っ端からコピーし、家に帰って同じものを手で写してみる、ということをやっていました。彼らの作ったスライドには独特の美しさがあり、もともと美術を専門に勉強していた私にとって、それらは美術作品と同じような一種のオーラがあって、自分もいつかこういうスライドを作れるようになりたいなあ、と憧れたのを今でもよく覚えています。

■ 手を動かす

　ただ単に達人のスライドを集めて眺めても、お手本となる資料をいくら手元で眺めたりパワーポイント上でコピペしたりしても、そのお手本のエッセンスを学びとることはできません。ルーブル美術館でいくら名画を眺めても絵を描くスキルが上がらないのと同じように、スライドについても、ただ単にいいスライドを眺めていても、スライド作成の技術は決して向上しません。自分で、お手本を真似て手を動かして書いてみることで、初めてコツが体得されていくことになります。

　思い起こしてみれば、私の場合、コピーした資料を家に持ち帰って、それを手でノートに書き写す、ということを繰り返しやったのが非常に効果的だったのだと思います。美術における模写の目的は、絵そのものを書き写すことではなく、書き写す過程の中で、描き手が何を考え、どのように筆を動かしたかを追体験することで、結果的に思考プロセスを鍛えるという点にこそあります。スライドも同じように、ただ単に眺めたりコピペしたりするのではなく、手を動かして「紙に書く」ことで、達人たちが何を考えて、どのような構造を用いたのか、あるいはグラフを選んだのかを考えることが重要

です。これは、私が美術史の教育を受けたことから思いついた勉強法なのかも知れません。美術教育、特に油絵では模写は大変重要なトレーニングになりますが、私はスライド作成においても模写は有効な「引き出しを増やす」トレーニングになると考えています。

こう書くと何やら大変だなあと思われるかも知れませんが、本書の冒頭にも記した通り、情報の視覚化については学べば学ぶだけ技術を身につけられます。そういう意味ではビジュアル・コミュニケーションの技術は、投資が確実に回収できる領域のスキルといえます。そして、もっとも有効性の高いアプローチは、とにかくわかりやすいスライドをたくさん見て、自分もそれを真似てみる、本書で指摘したようなテクニックに則って自分のスライドをチェックしてみることを繰り返す他ありません。

日常の仕事の中でそういった点を意識しながら仕事を進めるのは少し面倒に思われるかも知れませんが、磨けば磨いた分だけ返ってくるのがスライド作成の技術なのだと思って是非頑張ってください。

■ 基本的に円グラフは避ける

最後に円グラフについて言及しておきます。本書でも何回か使用している円グラフですが、通常は科学や工学の世界、特に統計学では忌避される傾向があります。BCGでも円グラフは基本的に禁止されていました。というのも円グラフは、個々のデータの大きさを直覚的に伝達するのに向いていないのです。

例えば、精神物理学者のスティーブンス[*6]が提唱した冪（べき）法則[*7]に

[*6] 20世紀米国の心理学者。知覚のべき法則の提唱者。著書に*Handbook of Experimental Psychology*（1951）がある。
[*7] 物理的刺激の実際の大きさとそれを知覚する際の強さの関係を表す法則として1957年にスティーブンスが提案した法則。長さや面積といった視覚情報以外にも、振動、温度、明度、輝度、彩度などについても実際の刺激と知覚の差を指数化している。

よれば、長さは1.0乗で知覚されるのに対して面積は0.7乗で知覚されます。この結果はつまり、データの表現方法としては知覚と実際の差異が少ない「長さ」の方が「面積」よりも優れていることを示しています。またベル研究所[*8]は、人間は長さほど正確に角度を知覚できないことも明らかにしています。これらの論考は円グラフのパイ＝扇型の大きさを人間は正確には把握できないことを示唆しています。つまりグラフフォーマットとして円グラフには決定的な問題があるのです。

例えば図44と図45は、同じ数値データを用いて作成したグラフですが、図44では、飲料市場、食品市場、医薬品市場のどの市場でA社がトップシェ

図44　円グラフでは細かい差異を把握できない

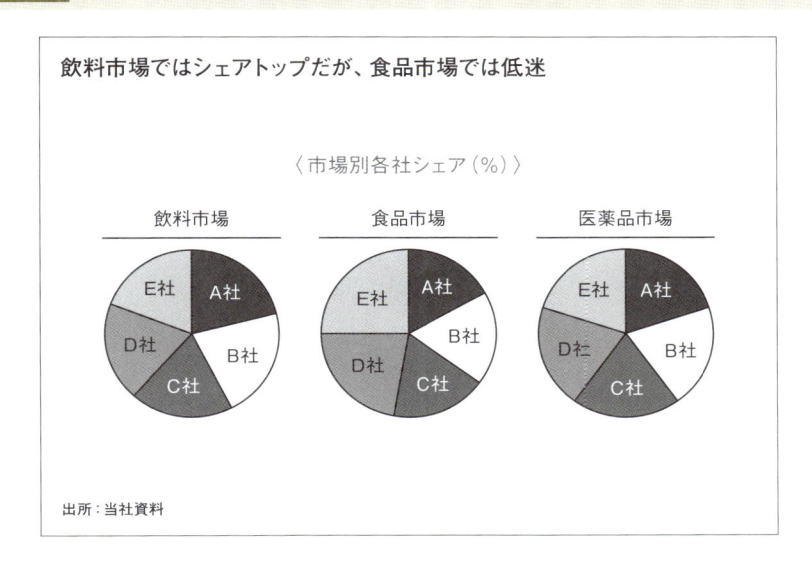

飲料市場ではシェアトップだが、食品市場では低迷

〈市場別各社シェア（％）〉

飲料市場　　　食品市場　　　医薬品市場

出所：当社資料

[*8] アレクサンダー・グラハム・ベルが19世紀末に設立した研究所。現在は紆余曲折を経てアルカテル・ルーセント社の研究開発部門となっている。20世紀前半は主に技術マニュアルの作成や電話会社のサポートといった保守的な業務が主流で、基礎研究に携わる研究者は少数だったにもかかわらず、立て続けにノーベル賞受賞者を輩出して注目を集めた。

アを持っているのか容易には判別できません。ところが図45では、同じデータであるにもかかわらず、一瞥して飲料市場でトップシェアとなっていること、逆に食品市場ではシェアが低迷していることが読み取れます。データの配列も内容も全く同じなのに、円グラフを棒グラフに変えるだけでここまで読みやすさが高まるのです。

先述した通り、円グラフは、焦点を当てた「1つのデータ要素」をその他全体と比較するケースで、特に焦点を当てたデータ要素の数値が25％や50％といった「25の倍数」に近い場合、大変直感的に全体に対する比率を把握することが可能なのですが、逆に言えば、そのような限定的な状況でない限り、使用には慎重になった方が賢明と言えるでしょう。

図45 棒グラフでは細かい差異の把握が可能

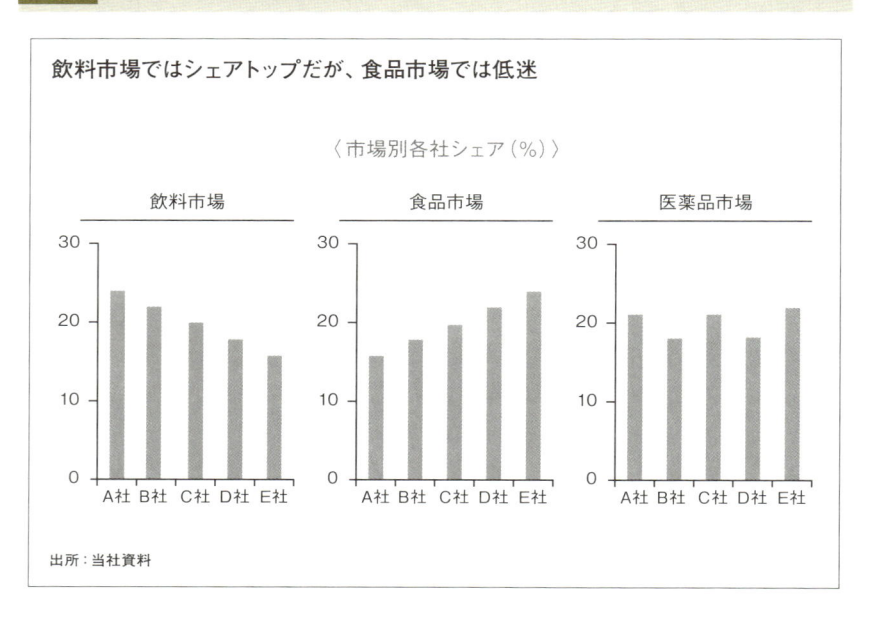

飲料市場ではシェアトップだが、食品市場では低迷

〈市場別各社シェア（％）〉

飲料市場／食品市場／医薬品市場

出所：当社資料

Column スライドはユニバーサル言語

　筆者がこれまで、コンサルティングの現場で海外の人と仕事をしてきて感じるのは、スライドというのはつくづくユニバーサルな言語だということです。本書の冒頭で、グローバルに仕事をしようと思ったらスライド作成の技術は必須、と私は書きましたが、これは私自身の実体験から来ている確信でもあります。
　筆者も外資系企業に勤めて10年以上になるので、それなりに英語を使いはしますが、どうしても表現に窮することが、やはりあります。そんな時、何度スライドに助けられたかわかりません。例えば、某グローバル化粧品会社の構造改革プロジェクトにおいて、先方のバイスプレジデントに資料を説明しようとしたところ、1枚目のスライドを見て「なるほど、わかった」といって2枚目をめくられてしまい、そこでまた「なるほど、これは面白い」となり、3枚目を……といったかたちで資料の最後まで読まれてしまい、結局口頭でのプレゼンテーションはほとんどしないままに、「よくわかった、ありがとう」と言われて会議が終わってしまったことがあります。
　このエピソードは、筆者の英語力の拙さを表すものでもあるので決して褒められたものではないのですが、「わかりやすいスライド」、特に「グラフで数値情報をわかりやすく見せる技術」が、いかにグローバルな仕事の場でコミュニケーションを助けるか、ということを教えてくれます。
　本書冒頭で、筆者は、スライド作成の目的は「より早く、より正確に、より少ない労力でビジネスコミュニケーションを成立させる」ことであると指摘しましたが、まさにそれが実現されたことを実感した瞬間でした。

PART 3

チャートの作り方
～概念や関係構造を視覚化する～

　PART2では、グラフや表を作成して数値情報を視覚化するテクニックについて説明しました。本章では、数値化できない概念や構造をチャートによって視覚化するテクニックについて説明します。
　本書においては「数値化できない概念や構造」をチャートと呼びますが、先述した通り、英語ではグラフも概念図もひっくるめてChart（チャート）と呼びます。しかしスライド作成上のテクニックという点では、グラフと概念図はかなり異なる側面があるため、便宜上本書では、グラフとチャートとを分けて扱うことにします。

13　チャートの基本フォーマット

■ **定性的な情報から概念を視覚化するチャート**

　ビジネスにおいて意思決定の拠り所となるのは数値データだけではありません。ビジネスモデルの違いを説明するにはプロセスや収益モデルの視覚化が、事業環境の整理やM&A候補の評価では市場や企業に関する定性的情報

図46　最適なチャートフォーマットを選択する　1

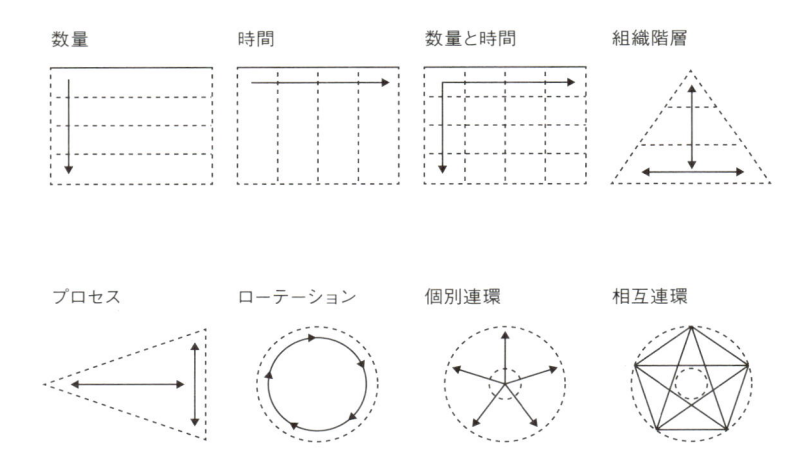

数量　　　時間　　　数量と時間　　　組織階層

プロセス　　ローテーション　　個別連環　　相互連環

が求められます。この様な、定性的な事実や情報、概念を「一目でわかる様に」視覚化するのがチャート作成の目的です。

■ フォーマットを利用するか、新規に作るか

　チャートの作成に当たっては、基本的なフォーマットを利用するケースと、オリジナルで作成するケースの2つがあります。そして、より作成頻度が高いのは後者です。

　基本的なチャートフォーマットとしては、図46や47の様なものがあります。このうち最も使用頻度が高いのが、縦と横の構造を活用した「数量と時間」「組織階層」「プロセス」のフォーマットです。

図47　最適なチャートフォーマットを選択する　2

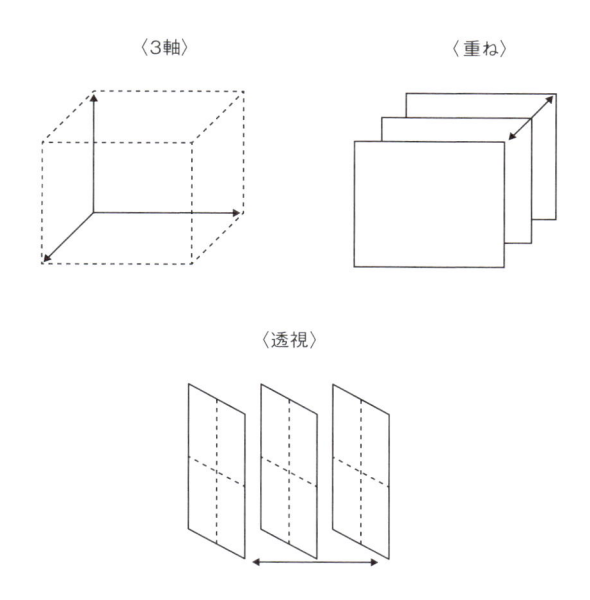

〈3軸〉　　　〈重ね〉

〈透視〉

14 縦と横の軸を決める

■ 縦横の軸がチャートの見やすさを決める

　チャートという二次元空間に情報を無秩序に並べているだけでは、こちらの意図はなかなか伝わりません。そこに描かれているチャートには、拠って立つ何らかの秩序＝構造が必要になります。そしてその最も強力かつ汎用性の高い構造が「縦と横」です。

　図48を見てください。これは企業の情報管理体制に関する問題を指摘しているチャートです。個別の情報にはそれなりに意味がありそうですが、どうもしっくり来ません。なぜでしょうか？　原因は、特性の異なる情報を無秩序にバラバラに並べているからです。

　「バラバラ？　ちゃんとデザインされているじゃない？」と思うかも知れませんが、この場合の「無秩序」とは「情報が並ぶ論理」のことです。いくら綺麗に整列しているように見えても、そこに論理がなければ、無秩序に散らばっているのと同じことになります。

　では、どのようにしたらこのチャートに「秩序」をもたらすことができるでしょうか。このチャートをしばらく眺めていると、記載されている情報が「問題指摘」と「改善方法の示唆」という2つの種類に分類できることがわかります。また、別種の情報として「問題の発生している部署や役職」を指摘していることもわかってきます。

　つまり、このチャートの円上に描かれている情報は「問題指摘×問題の発生している部署・役職」と「改善方法の示唆×問題の発生している部署・役職」の2種類であることがわかります。ここまで情報の構造がわかれば、それをレイアウト・デザインに落とし込めばいいだけです。

　たとえばこの情報は、横軸＝部署と、縦軸＝「問題指摘」＋「改善方法示

唆」に整理できることができます。これを、再整理してみたものが図49です。「どのプロセスに、どんな問題が発生しているのか」という情報がはるかにすんなりと頭に入ってくるようになりました。

■ 縦横の軸を整理することで気付きが得られる

そして、もう一つの副次的な効果として、「どこに情報が足りないか」ということも明確になっていることがわかると思います。例えば、この図を見ると、製造プロセスについてはそもそも何が問題になっているのか、という

図48 情報が「無秩序」に並んでいる状態

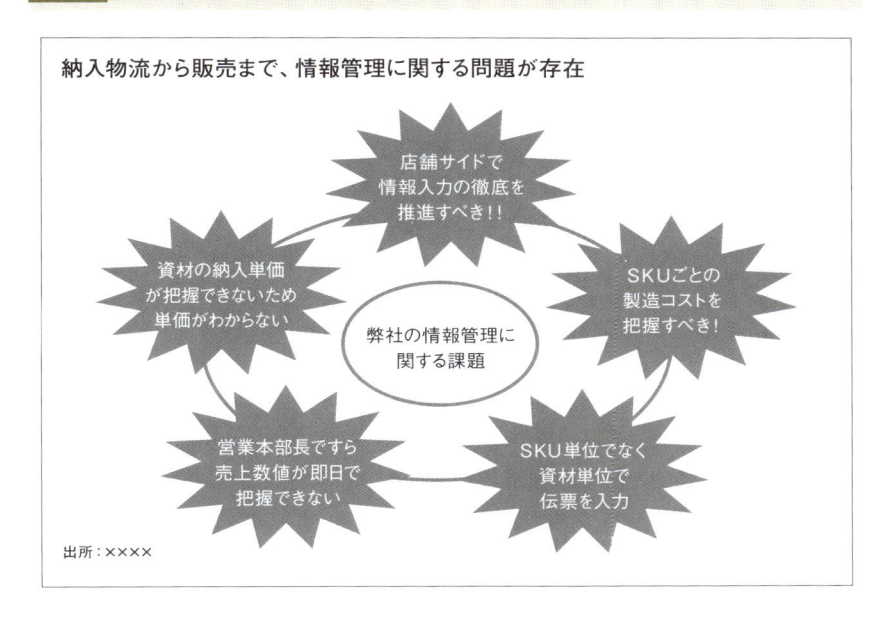

納入物流から販売まで、情報管理に関する問題が存在

- 店舗サイドで情報入力の徹底を推進すべき！！
- 資材の納入単価が把握できないため単価がわからない
- SKUごとの製造コストを把握すべき！
- 営業本部長ですら売上数値が即日で把握できない
- SKU単位でなく資材単位で伝票を入力

弊社の情報管理に関する課題

出所：××××

点が明確になっていません。

この様に、縦軸と横軸にロジックを組んで情報を整理してみると、「気付き」を与えてくれることが多いのです。チャートが一種の備忘録として機能しているわけです。メンデレーエフが作成した元素の周期律表はこのような「構造化による気付き」の典型例と言えます（図50）。原子量の順に元素を並べると一定の周期性を示すことはメンデレーエフ[*1]以前から知られていました。メンデレーエフは更に踏み込んで原子量、酸化数をそれぞれ縦軸、横軸にとって元素を並べることで、該当する元素がない升目には、「そこに入

図49 情報が「秩序」を持って並んでいる状態

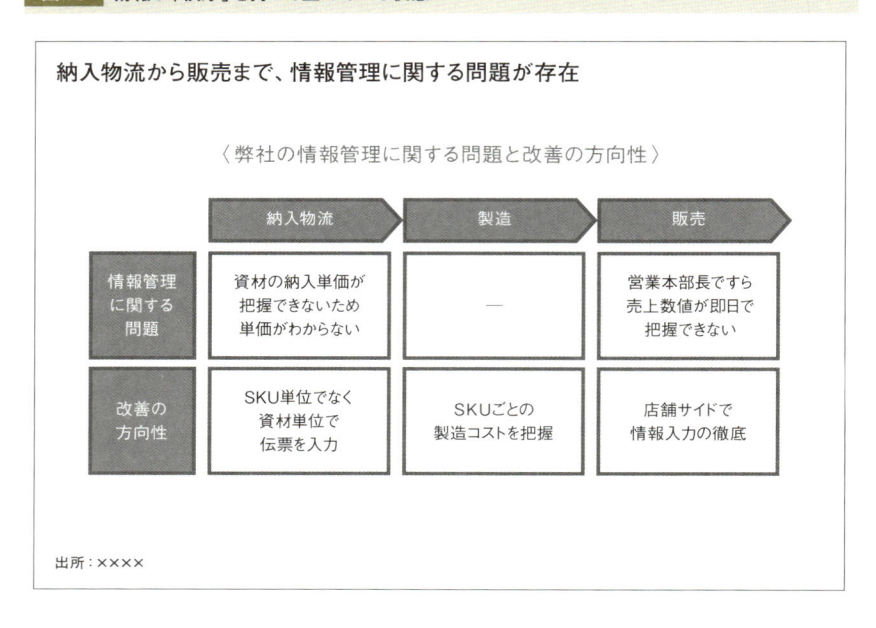

納入物流から販売まで、情報管理に関する問題が存在

〈弊社の情報管理に関する問題と改善の方向性〉

	納入物流	製造	販売
情報管理に関する問題	資材の納入単価が把握できないため単価がわからない	―	営業本部長ですら売上数値が即日で把握できない
改善の方向性	SKU単位でなく資材単位で伝票を入力	SKUごとの製造コストを把握	店舗サイドで情報入力の徹底

出所：××××

[*1] 19世紀ロシアの化学者。元素の周期律表を作成し、それまでに発見されていた元素を並べ周期的に性質の似た元素が現れることを確認し、発見されていなかった数々の元素の存在を予言した。

るべき元素が、まだ発見されていないのではないか？」ということに気付き、将来の発見を予言しました。縦軸と横軸に情報を整理構造化したことで、気付きを得たわけです。

逆に言えば、この枠組みを予め頭の中に構築しておくことで、効率的に情報収集することも可能になります。仕事が早い人は常に頭の中にこの構造を持って情報の収集･分析をするので、つねに「今、どこの情報が足りていて、どこの情報が足りていないのか」ということを判断できる、つまり「足りていないところだけの作業に集中できる＝仕事の効率がいい」わけです。

もう1つ例を出して「縦と横」の考え方を感じ取ってもらいましょう。図51を見てください。よくチャートの中身を吟味してみると、「これまで重要

図50　「縦と横の思考」の成果＝周期律表

1	2	3	4	5	6	7	8	9	10	11	12	13	14	15	16	17	18
1 **H** 1.0079																	2 **He** 4.0026
3 **Li** 6.941	4 **Be** 9.0122											5 **B** 10.811	6 **C** 12.011	7 **N** 14.007	8 **O** 15.999	9 **F** 18.998	10 **Ne** 20.180
11 **Na** 22.990	12 **Mg** 24.305											13 **Al** 26.982	14 **Si** 28.086	15 **P** 30.974	16 **S** 32.065	17 **Cl** 35.453	18 **Ar** 39.948
19 **K** 39.098	20 **Ca** 40.078	21 **Sc** 44.956	22 **Ti** 47.867	23 **V** 50.942	24 **Cr** 51.996	25 **Mn** 54.938	26 **Fe** 55.845	27 **Co** 58.933	28 **Ni** 58.693	29 **Cu** 63.546	30 **Zn** 65.409	31 **Ga** 69.723	32 **Ge** 72.64	33 **As** 74.922	34 **Se** 78.96	35 **Br** 79.904	36 **Kr** 83.798
37 **Rb** 85.468	38 **Sr** 87.62	39 **Y** 88.906	40 **Zr** 91.224	41 **Nb** 92.906	42 **Mo** 95.94	43 **Tc** (98)	44 **Ru** 101.07	45 **Rh** 102.91	46 **Pd** 106.42	47 **Ag** 107.87	48 **Cd** 112.41	49 **In** 114.82	50 **Sn** 118.71	51 **Sb** 121.76	52 **Te** 127.60	53 **I** 126.90	54 **Xe** 131.29
55 **Cs** 132.91	56 **Ba** 137.33	57-71 *	72 **Hf** 178.49	73 **Ta** 180.95	74 **W** 183.84	75 **Re** 186.21	76 **Os** 190.23	77 **Ir** 192.22	78 **Pt** 195.08	79 **Au** 196.97	80 **Hg** 200.59	81 **Tl** 204.38	82 **Pb** 207.2	83 **Bi** 208.98	84 **Po** (209)	85 **At** (210)	86 **Rn** (222)
87 **Fr** (223)	88 **Ra** (226)	89-103 #	104 **Rf** (261)	105 **Db** (262)	106 **Sg** (266)	107 **Bh** (264)	108 **Hs** (277)	109 **Mt** (268)	110 **Ds** (281)	111 **Rg** (272)	112 **Uub** (285)	113 **Uut** (284)	114 **Uuq** (289)	115 **Uup** (288)	116 **Uuh** (291)		118 **Uuo** (294)

* Lanthanide series	57 **La** 138.91	58 **Ce** 140.12	59 **Pr** 140.91	60 **Nd** 144.24	61 **Pm** (145)	62 **Sm** 150.36	63 **Eu** 151.96	64 **Gd** 157.25	65 **Tb** 158.93	66 **Dy** 162.50	67 **Ho** 164.93	68 **Er** 167.26	69 **Tm** 168.93	70 **Yb** 173.04	71 **Lu** 174.97
# Actinide series	89 **Ac** (227)	90 **Th** 232.04	91 **Pa** 231.04	92 **U** 238.03	93 **Np** (237)	94 **Pu** (244)	95 **Am** (243)	96 **Cm** (247)	97 **Bk** (247)	98 **Cf** (251)	99 **Es** (252)	100 **Fm** (257)	101 **Md** (258)	102 **No** (259)	103 **Lr** (262)

性が低いと考えられていた人材や価値観といった経営要素に重点を置くべきだ」という主張が伝わって来るのですが、スライドの構造が不明瞭でいまひとつメッセージが伝わってきません。

このチャートに縦と横の構造を与えて読みやすさを高めるとすると、たとえば図52のようにまとめることができます。図52では、横軸に経営要素を並べて（必ずしもプロセスになっているわけではないのですが）、縦軸に重要性の認識を用いて構造を作っています。この例からもわかる通り、スライドの縦軸と横軸を構成できるのは、スライド上で扱われている情報のうち、もっとも重要性の高い要素になります。このスライドはメッセージで「経営要素と重要性認識」に言及しているので、素直に経営要素と重要性認識をチャートの構造を作る軸に設定することで、メッセージとの馴染みも良くな

図51 縦と横の構造がはっきりしないスライド

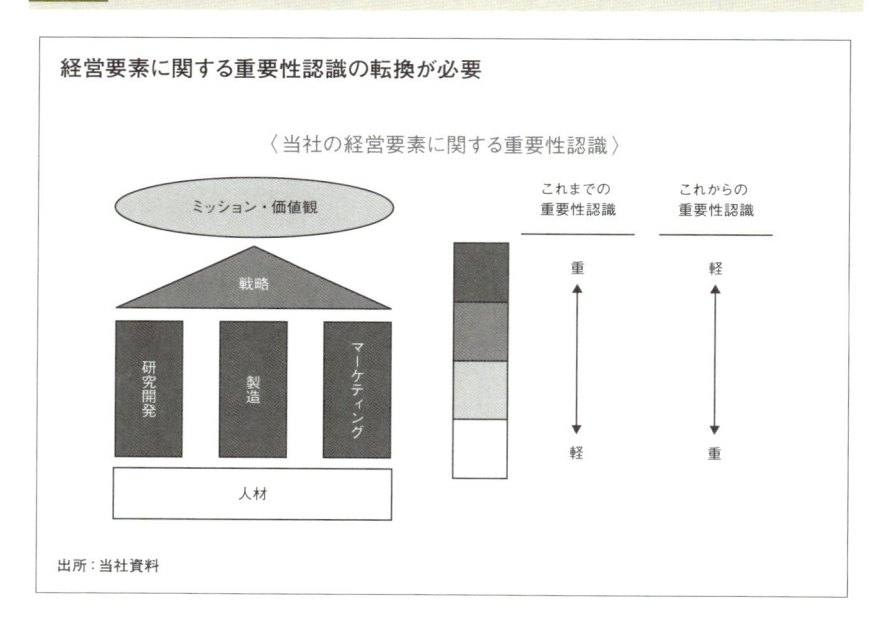

経営要素に関する重要性認識の転換が必要

〈当社の経営要素に関する重要性認識〉

出所：当社資料

り読みやすくなります。

■ 感覚的な常識を大事にする

縦軸と横軸の構造を決める際に大事なのは「自然な感覚に倣う」ことです。自然な感覚とは、楽譜で言えば「高い音は上に、低い音は下に書く」ということであり、「これから来る音は右に、過ぎ去っていく音は左に書く」ということです。

これをスライド作成に敷衍して考えてみると、チャートでは「プロセスの前半は左に、後半は右に」「組織の上層部はチャートの上に、現場は下に書く」といったことが求められます（図53）。

図52　縦と横の構造を明快にして読みやすさを高めたスライド

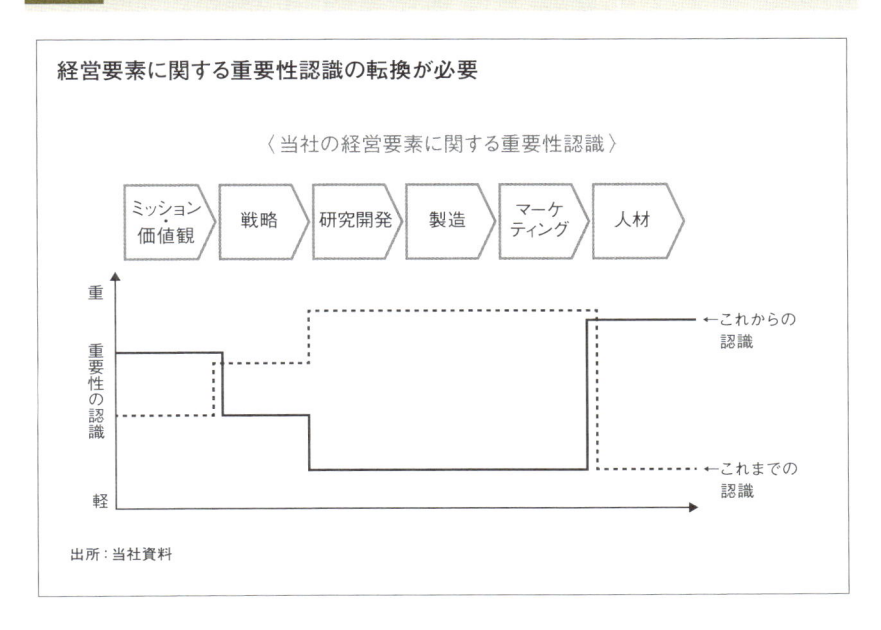

経営要素に関する重要性認識の転換が必要

〈当社の経営要素に関する重要性認識〉

ミッション・価値観 → 戦略 → 研究開発 → 製造 → マーケティング → 人材

重要性の認識（重〜軽）

←これからの認識
←これまでの認識

出所：当社資料

図53　縦軸／横軸に馴染む指標

左右で示しやすい指標	上下で示しやすい指標
・過去／未来	・空間（高度）
・プロセス	・組織階層
・東西	・南北
・革新／保守	・ランキング
・原因／結果	・量の多い少ない
・共産主義／資本主義	・年齢
︙	︙

■ 情報の並び順を整理する「5つの帽子掛け」

　縦軸でも横軸でも情報の並び順には「伝えたい内容に応じたロジック」が必要です。チャートが作成される文脈に照らして意味のある順に、例えばM&Aの対象企業の候補を並べるのであれば規模の大きさやM&Aターゲットとしての魅力度の順で並んでいるべきでしょう。

　順番を考える際に覚えておくといいのが「5つの帽子掛け」のアナロジーです。「5つの帽子掛け」は、情報デザインの開祖といわれるリチャード・ワーマン[*2]が提唱したもので、簡単に言えば、情報の用途に関係なく、情報を整理する方法の数には限りがあるという考え方です。

＊2　20世紀米国の建築家、グラフィックデザイナー。情報デザインの開祖として知られている。「5つの帽子掛け」が初めて提唱されたのは、松岡正剛氏が訳した著書『情報選択の時代』で情報デザインを学ぶ者にとっては必読の名著。有名なTEDカンファレンスの創始者でもある。ちなみにTEDカンファレンスは最高のプレゼンテーション集であり、すべてWEBサイトで公開されているので読者の皆さんにも閲覧をすすめたい。

ワーマンは具体的には、カテゴリー、時間、場所、五十音（またはアルファベット）、連続量の5つの方法論を指摘しています。

①カテゴリーによる分類
　性別や年齢に基づくグループ、商品カテゴリー、ジャンルといった属性による分類です。ビジネス文書では市場セグメント、役職別の分類、事業別といった情報の整理はカテゴリーによる分類になります。
②時間による分類
　主に年代順による分類です。年代順というと歴史年表などを想起するかも知れませんが、例えばテレビ番組表は縦軸に時間軸を、楽譜は横軸に時間軸を採用しており、どちらも年代順による情報組織化の一種です。プロセスによる整理も一種の時間による分類と言えるでしょう。
③場所による分類
　地理的もしくは空間的属性に基づく分類です。もっとも典型的なのが地図や電車の路線図があります。また、例えば日本の県庁所在地を並べる際、北から南に順に情報を記載して行けば、これは擬似的に地理的属性に基づいて情報を組織化していることになります。
④五十音による分類
　この手法を用いている例の代表として辞書や百科事典が挙げられます。情報量が膨大になった場合、特定の項目に局地的かつ効率的に辿り着かせるためにはこのアプローチは有効です。ただし通常、ビジネスにおいて五十音順が大きな重要性を持つことは少ないので、他の組織化がうまく適用できない場合の最後の手段と考えた方がいいでしょう。
⑤連続量による分類
　数量的な大きさによる組織化の方法です。ビジネスでグラフを用いる場合はほとんどが売上高や利益率といった数値が対象になるので、多くが連続量を扱うことになります。先の県庁所在地の例で言えば、例えば人口や降雨量、県内GDP、平均年齢といった情報で組織化するのがこのアプローチになります。連続量を組織化の指標として用いる場合、採用する数値は当然のことながら、議論の対象となる論点と密接に関わっている必要があります。

15 メッセージと軸を整合させる

■ 軸はメッセージの主語とあわせる

　縦と横の構造を用いてスライドを作成する際、用いられる軸は、伝えようとしているメッセージの主語、述語がそのまま反映している必要があります。メッセージの主語が市場セグメントであれば、縦軸か横軸かのどちらかは市場セグメントに、主語が生産性であれば、どちらかの軸が生産性になっ

図54 チャートの軸とスライドのメッセージが一致していないスライド

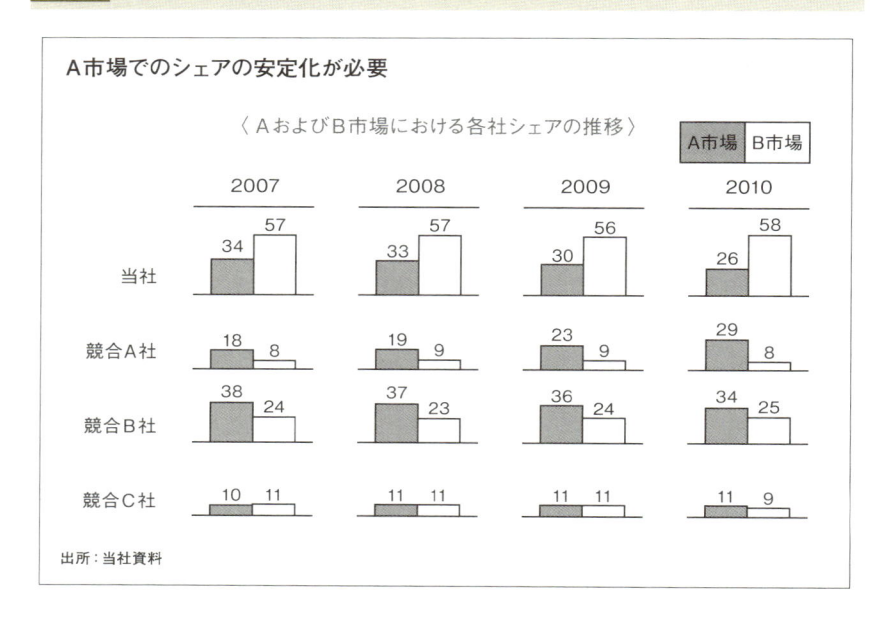

A市場でのシェアの安定化が必要

〈 AおよびB市場における各社シェアの推移 〉　A市場　B市場

	2007		2008		2009		2010	
	A	B	A	B	A	B	A	B
当社	34	57	33	57	30	56	26	58
競合A社	18	8	19	9	23	9	29	8
競合B社	38	24	37	23	36	24	34	25
競合C社	10	11	11	11	11	11	11	9

出所：当社資料

ているべきでしょう。この点は、わかりやすいプレゼンテーションを実現するためには非常に重要な点です。

例えば図54では、確かにチャートの内容を読み取ればメッセージは理解されるものの、どうも頭の中にスッと情報が入ってきません。チャートの軸がスライドのメッセージと整合していないからです。

図54では、スライドの構造は、縦軸＝会社名に、横軸＝時間となっていますが、これではメッセージで言及されている「A市場の変化」が読み取れません。メッセージの主語になっている「A市場でのシェアの安定化」が直接的に読み取れるよう、スライドの構造を作る軸にA市場が含まれているべきです。図55のように横軸を市場、縦軸を会社名にとって再構成することで、A市場において当社のシェアが低下していること、一方でB市場でのシェアは安定していることが読み取れます。

図55 チャートの軸とスライドのメッセージが一致しているスライド

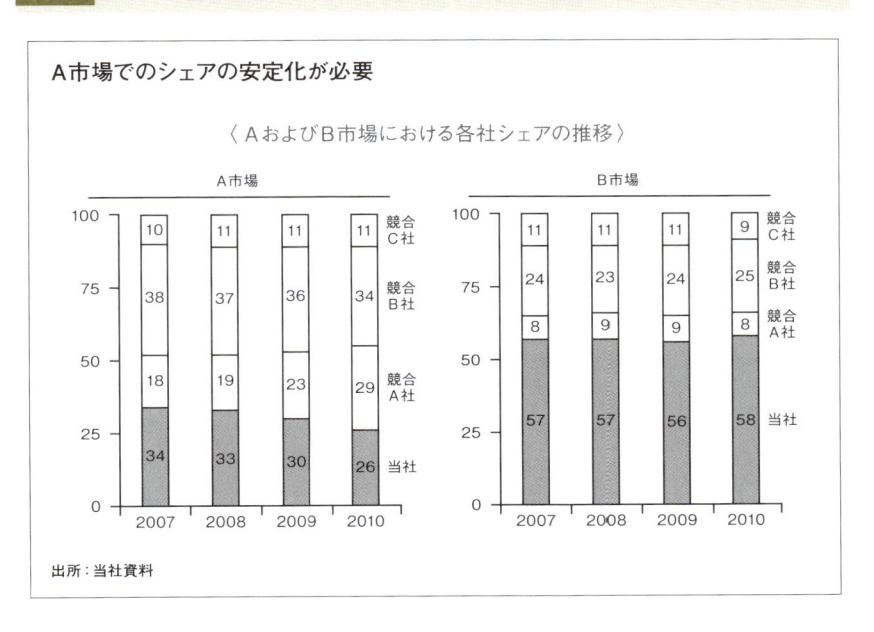

A市場でのシェアの安定化が必要

〈AおよびB市場における各社シェアの推移〉

A市場

年	当社	競合A社	競合B社	競合C社
2007	34	18	38	10
2008	33	19	37	11
2009	30	23	36	11
2010	26	29	34	11

B市場

年	当社	競合A社	競合B社	競合C社
2007	57	8	24	11
2008	57	9	23	11
2009	56	9	24	11
2010	58	8	25	9

出所：当社資料

16 非冗長性のルール

■ **スライドに同じ言葉を何度も登場させない**

「非冗長性」とは「重複していない」ということです。平たく言えば「1枚のスライドに、同じ言葉を2回使わない」ということです。

例えば図56を見てください。それなりにわかりやすいスライドですが、チャートに委員会、経営会議、理事会という部署名が、それぞれ2回ずつ出

図56 「非冗長性ルール」に則っていないスライド 1

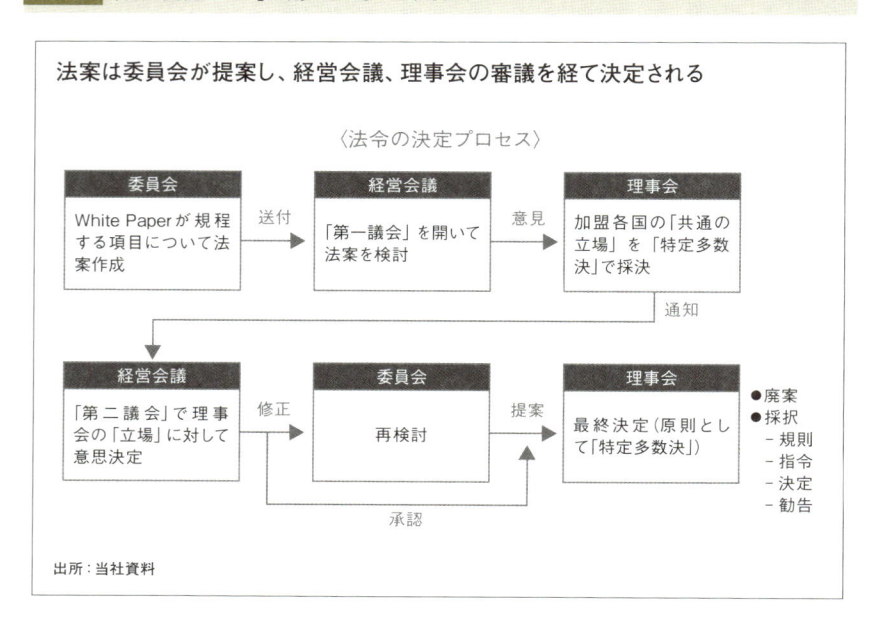

法案は委員会が提案し、経営会議、理事会の審議を経て決定される

〈法令の決定プロセス〉

委員会	→送付→	経営会議	→意見→	理事会
White Paperが規程する項目について法案作成		「第一議会」を開いて法案を検討		加盟各国の「共通の立場」を「特定多数決」で採決

↓通知

経営会議	→修正→	委員会	→提案→	理事会
「第二議会」で理事会の「立場」に対して意思決定		再検討		最終決定(原則として「特定多数決」)

←承認←

- ●廃案
- ●採択
  - －規則
  - －指令
  - －決定
  - －勧告

出所：当社資料

てくるのが気になります。同じ言葉が2回以上1枚のスライドに出てくる場合、スライドのレイアウト構造には改善の余地があります。

改善の糸口は、2回出てくる言葉と、その言葉以外の情報の関係にあります。この場合、委員会、経営会議、理事会というのは全て部署名で、その他の情報は、部署が実施するアクションという関係になっています。つまり、主語と述語の関係になっているので、主語は左側にまとめてしまって述語のみを切り出すことで図57のように整理することが可能です。

こうすると、理事会、経営会議、委員会という言葉は、スライドに1回しか登場しないことになります。

更に付け加えれば、図57では図56が有していた別の2つの問題点も解決されています。

まず1点目。図56のスライドでは、プロセスが進行する際に右側から左

図57 「非冗長性の法則」に則っているスライド 1

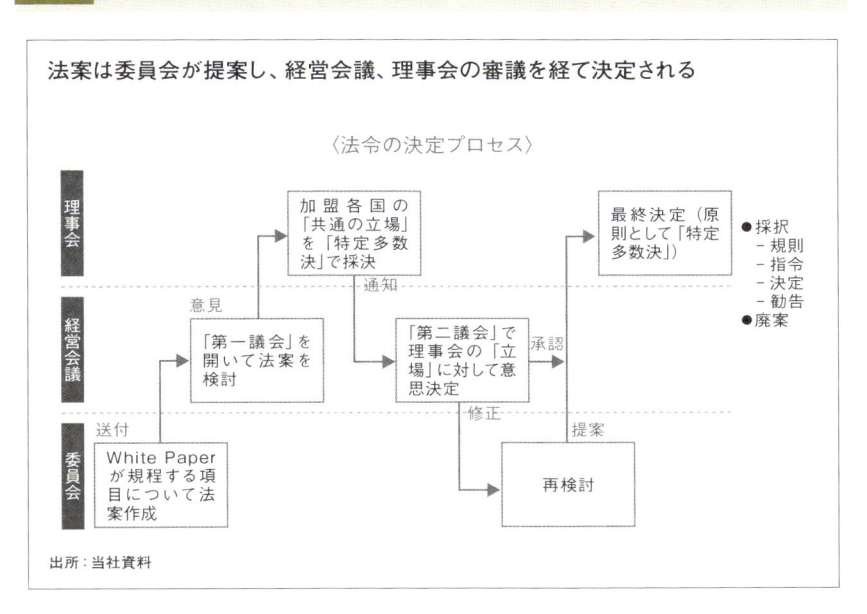

法案は委員会が提案し、経営会議、理事会の審議を経て決定される

〈法令の決定プロセス〉

理事会／経営会議／委員会

- 加盟各国の「共通の立場」を「特定多数決」で採決
- 最終決定（原則として「特定多数決」）
  - ● 採択
    - － 規則
    - － 指令
    - － 決定
    - － 勧告
  - ● 廃案
- 「第一議会」を開いて法案を検討
- 「第二議会」で理事会の「立場」に対して意思決定
- White Paperが規程する項目について法案作成
- 再検討

出所：当社資料

側に逆行するところがありますが、これは先述した「自然な感覚に従う」という点に反していて直感的な理解の妨げになっています。この点が図57では解決しています。

次に2点目。図56では不明瞭だった各部門の組織階層の中での位置付けが、図57では非常に明瞭になっています。図57を見れば最も大きい意思決定権限を有しているのが理事会で、以下それに経営会議、委員会と続くことが一目でわかります。先述した自然な感覚に沿っているからです。図56では、どの組織がどの程度の意思決定権を有しているのかは、内容をつぶさに見てもよくわかりません。

次の図58も「非冗長性のルール」に関するスライドです。工場と世界各国の支店との輸送関係がここ10年で複雑化していることを伝えようとしていますが、工場と支店名がそれぞれいくつか重複しています。またチャートが2つに分かれているために、10年前と現在で何が変化しているのか直感

図58 「非冗長性ルール」に則っていないスライド 2

工場・支店の増設により、輸送関係が複雑になってきた

〈工場・支店間の輸送関係〉

10年前の輸送関係

		工場		
		A	B	C
支店	北米	●	●	−
	欧州	−	−	−
	豪州	−	−	●

現在

		工場				
		A	B	C	D	E
支店	北米	●	●	−	●	−
	欧州	−	−	−	−	−
	豪州	−	−	●	−	●
	中国	−	−	−	●	●
	印度	−	−	●	●	−
	南米	●	●	−	−	−

出所：当社資料

につかみにくいスライドになっています。

「非冗長性のルール」では、重複している言葉を統合することが改善アプローチの基本です。この場合、重複している言葉を統合することで図58を図59の様に改善することが可能です。10年前と現在の状況がチャート上に統合されているので、何が変化しているのかという点についても直感的な把握が可能になっています。

もう1つ、この例で重要なのはシェードの利用法です。図58では、シェードはチャートのラベルとデータを区分するために使われていますが、図59では10年前と現在を区分するために用いられています。10年前と現在の状況をシェードで区分することで、チャートの重複を避けているわけですね。シェードは何気なく使われることが多いのですが、有効に活用すればメッセージの伝達を補足するための強力なツールになりうるので、安易に用いず、効果を最大限に発揮させるような使い方を意識してください。

図59　「非冗長性の法則」に則っているスライド2

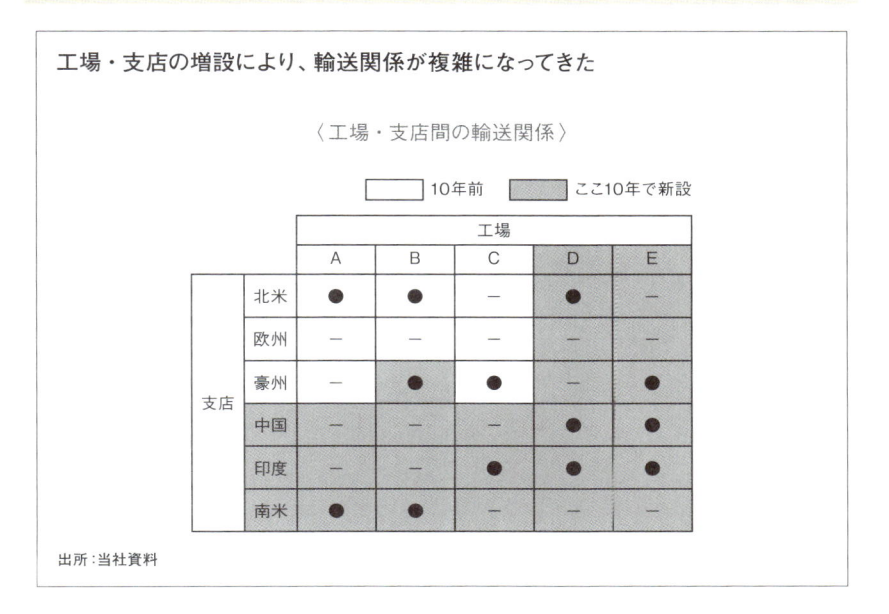

工場・支店の増設により、輸送関係が複雑になってきた

〈工場・支店間の輸送関係〉

☐ 10年前　　■ ここ10年で新設

		工場				
		A	B	C	D	E
支店	北米	●	●	−	●	−
	欧州	−	−	−	−	−
	豪州	−	●	●	−	●
	中国	−	−	−	●	●
	印度	−	−	●	●	●
	南米	●	●	−	−	−

出所：当社資料

17 矢印のルール

■ 起点と着点を明確にする

　明確に意味を伝達する、という観点から次に指摘しておきたいのが矢印の重要性です。矢印という記号は非常に便利なので、世の中にある企画書やレポートで大量に使用されているのですが、そのほとんどが矢印の本来のパワーを引き出せていません。

　矢印の利用において重要なことは「矢印の起点と着点を明確にすること」です。言葉で説明するとわかりにくいので、まずは日常的な事例からご説明しましょう。図60は私が某国の道路上で出会った大変不親切な道路標示です。これは「矢印のあいまいな利用」の典型例ですね[*3]。

　この看板を見れば誰でも戸惑うのではないでしょうか。なぜなら、それぞれの矢印が何と結びついているのか判然としないからです。

　この看板、結局のところナポリは左側へ、アマルフィとサレルノは右へ行くのが正しい、ということがわかりました。ということで、この問題を解決する方法は実に簡単で、線を2本入れればそれで済みます（図61）。あるいはそのまま矢印伸ばしてしまう、という手もあります（図62）し、地名を矢印に近づけてしまうという手もあります（図63）。

[*3] ふところの深い便利な記号ほど、こういう「あいまいさ」を持ちやすい。典型的なのは＋（プラス）、－（マイナス）の記号。「数字を足す、引く」という「演算子」としての意味合いと、「数字の正負を表す」という正負号の2つの意味合いがごっちゃになっている。だから「マイナスの数字を引くときはマイナスが消えてプラスになる」というような奇妙な説明になってしまう。

図60　「矢印の法則」に反している某国の道路案内

図61　線を入れて改善

図62　矢印を伸ばして改善

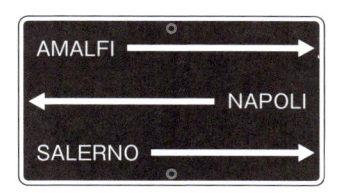

図63　地名と矢印を近づけて改善

PART3　チャートの作り方

これでなぜ済むかと言うと、それぞれの言葉と矢印がちゃんと結びついたからです。つまり、矢印という記号は、表示されている情報のうち「どれと結びついて」いて、「どれと結びついていないのか」ということを明確化させることが重要なのです。

なんだそんなこと、当たり前じゃないかと思われる方も多いかも知れません。ところが、我々の多くは日々、これと同じ過ちをスライド上で犯しているのです。典型的なのが例えば図64の様な例でしょう。

これでは矢印が何と何を結び付けているのか、ということがよくわかりません。例えば、「重要顧客の洗い出し、ローラー作戦の実施」は、100億円以上のリテール顧客と、10〜100億円未満のリテール顧客の両方に対して行うものなのか、それとも10〜100億円未満のリテール顧客に行うのか、判然としません。

図64　「矢印の法則」に則っていないスライド1

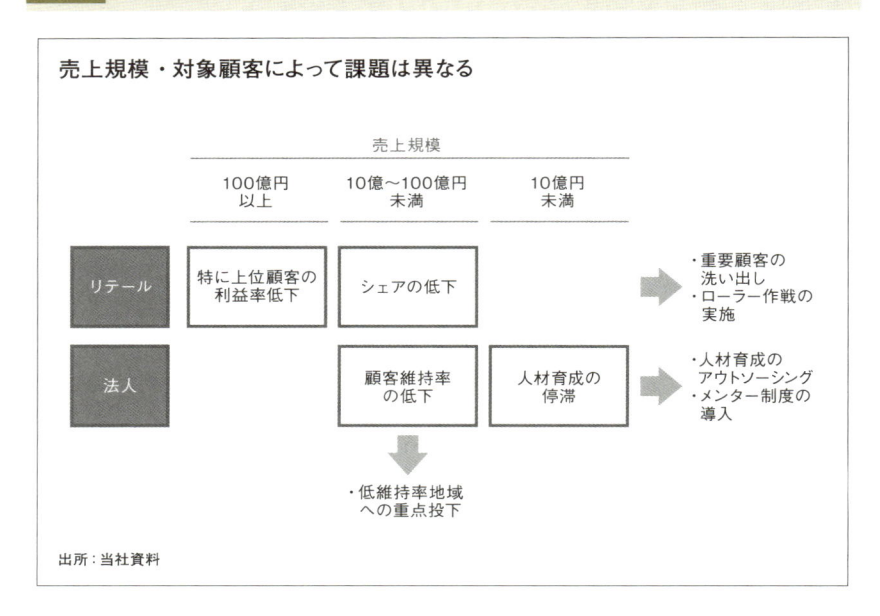

売上規模・対象顧客によって課題は異なる

	売上規模			
	100億円以上	10億〜100億円未満	10億円未満	
リテール	特に上位顧客の利益率低下	シェアの低下		・重要顧客の洗い出し ・ローラー作戦の実施
法人		顧客維持率の低下	人材育成の停滞	・人材育成のアウトソーシング ・メンター制度の導入
		↓ ・低維持率地域への重点投下		

出所：当社資料

これを整理し、図65のようにすると、非常にスライドの内容が明確になります。矢印の起点と着点が明確になったからです。

■ 延長線上にあるものすべてに影響を及ぼす

　矢印を利用する際に気をつけないといけないもう1つのポイントが、「矢印はその延長線上にあるものすべてに作用を及ぼす」というルールです。例えば図66を見てください。これでは矢印が3つの戦略のどれを指しているのかよくわかりません。恐らくスライド作成者の意図として「キラーコンテンツ囲い込み戦略は資金力が必要なので難しい」と言いたいのだと思いますが、矢印の延長線上に3つの戦略が全て乗っているために、どの戦略が「資金力が競争のカギになる」のか判然としません。

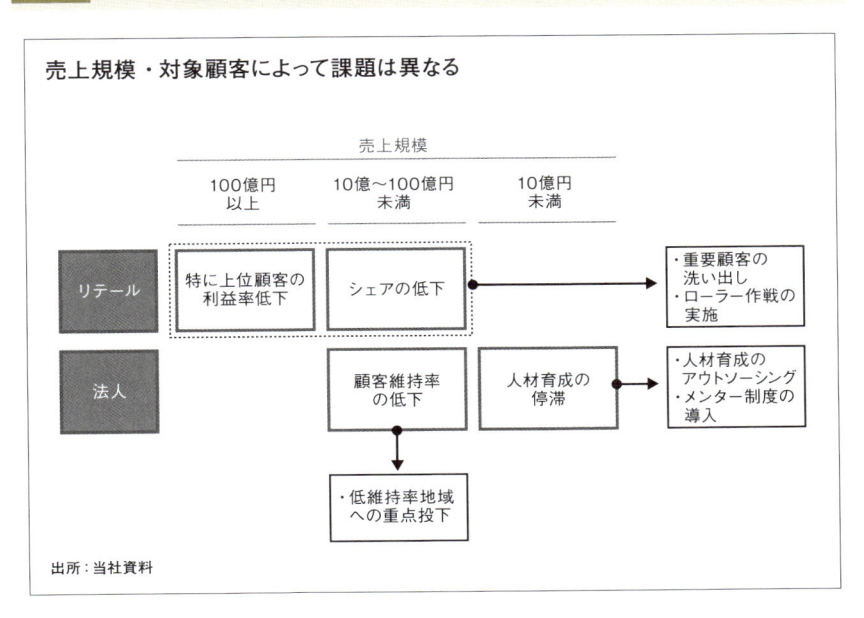

図65　「矢印の法則」に則っているスライド 1

売上規模・対象顧客によって課題は異なる

		売上規模	
	100億円以上	10億〜100億円未満	10億円未満
リテール	特に上位顧客の利益率低下	シェアの低下	・重要顧客の洗い出し ・ローラー作戦の実施
法人		顧客維持率の低下 → 人材育成の停滞	・人材育成のアウトソーシング ・メンター制度の導入
		↓ ・低維持率地域への重点投下	

出所：当社資料

図66 「矢印の法則」に則っていないスライド2

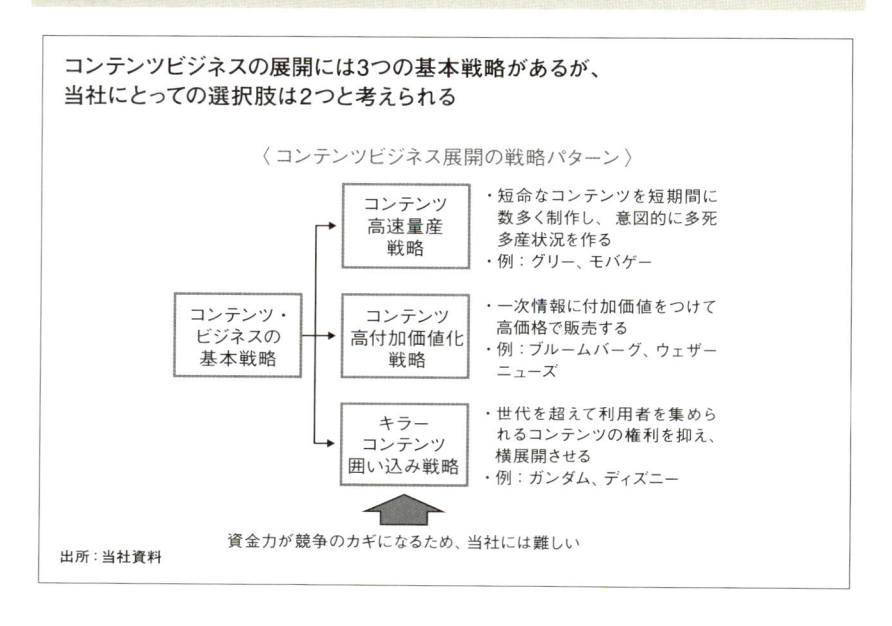

```
コンテンツビジネスの展開には3つの基本戦略があるが、
当社にとっての選択肢は2つと考えられる

              〈コンテンツビジネス展開の戦略パターン〉

                    ┌─────────┐
                  ┌→│ コンテンツ │  ・短命なコンテンツを短期間に
                  │ │ 高速量産  │    数多く制作し、意図的に多死
                  │ │  戦略    │    多産状況を作る
                  │ └─────────┘  ・例：グリー、モバゲー
    ┌─────────┐  │ ┌─────────┐
    │コンテンツ・│  │ │ コンテンツ │  ・一次情報に付加価値をつけて
    │ビジネスの │──┼→│高付加価値化│    高価格で販売する
    │基本戦略  │  │ │  戦略    │  ・例：ブルームバーグ、ウェザー
    └─────────┘  │ └─────────┘    ニューズ
                  │ ┌─────────┐
                  └→│  キラー   │  ・世代を超えて利用者を集めら
                    │コンテンツ │    れるコンテンツの権利を抑え、
                    │囲い込み戦略│    横展開させる
                    └─────────┘  ・例：ガンダム、ディズニー
                         ⬆
出所：当社資料    資金力が競争のカギになるため、当社には難しい
```

　見る人によっては3つの戦略全てに資金力が必要なのか、と考えるでしょう。もしメッセージの通りにスライドを作成するのなら、図67のような構造にする必要があります。こうすることで矢印の延長線上にはキラーコンテンツ囲い込み戦略のみが乗っかることになりますので、矢印が記号として何を指し示しているのか誤解のしようがなくなります。

　ダメ押しとして残りの2つに対しての情報を付加すれば、更に誤解されようのないスライドになります（図68）。

　もしレイアウト上の制約で、矢印の延長線上にその他の情報を配置しなければならないとすれば、対象となる情報を線で囲んだりシェードをかけたりして強調する必要があります。

図67　「矢印の法則」に則っているスライド 2

コンテンツビジネスの展開には3つの基本戦略があるが、
当社にとっての選択肢は2つと考えられる

〈 コンテンツビジネス展開の戦略パターン 〉

```
                    ┌──────────┐   ・短命なコンテンツを短期間に
                 ┌─→│ コンテンツ │     数多く制作し、意図的に多死
                 │  │ 高速量産  │     多産状況を作る
                 │  │   戦略   │   ・例：グリー、モバゲー
                 │  └──────────┘
┌──────────┐   │  ┌──────────┐   ・一次情報に付加価値をつけて
│コンテンツ・│   │  │ コンテンツ │     高価格で販売する
│ビジネスの │──┼─→│高付加価値化│   ・例：ブルームバーグ、ウェザー
│ 基本戦略 │   │  │   戦略   │     ニューズ
└──────────┘   │  └──────────┘
                 │  ┌──────────┐   ・世代を超えて利用者を集めら   ⇦ 資金力が競争の
                 │  │  キラー  │     れるコンテンツの権利を抑え、     カギになるため、
                 └─→│ コンテンツ │     横展開させる                  当社には難しい
                    │囲い込み戦略│   ・例：ガンダム、ディズニー
                    └──────────┘
```

出所：当社資料

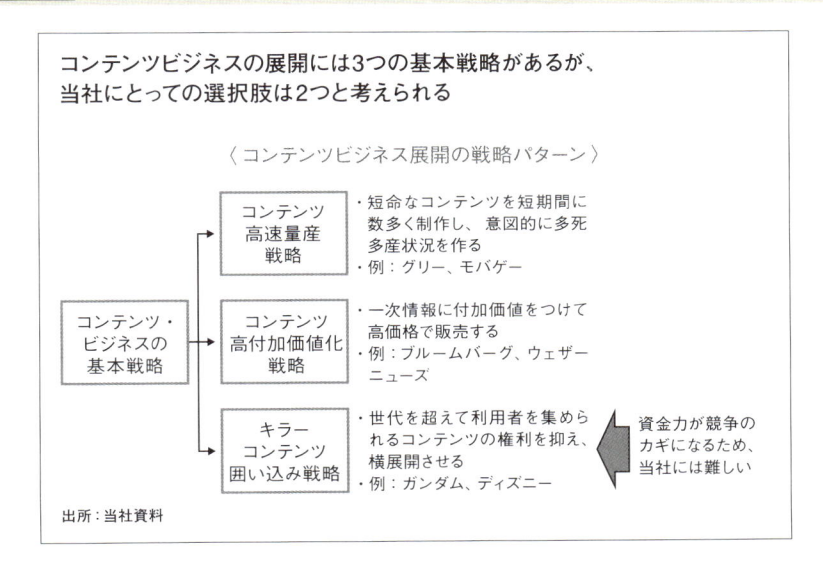

図68　図67の改善案

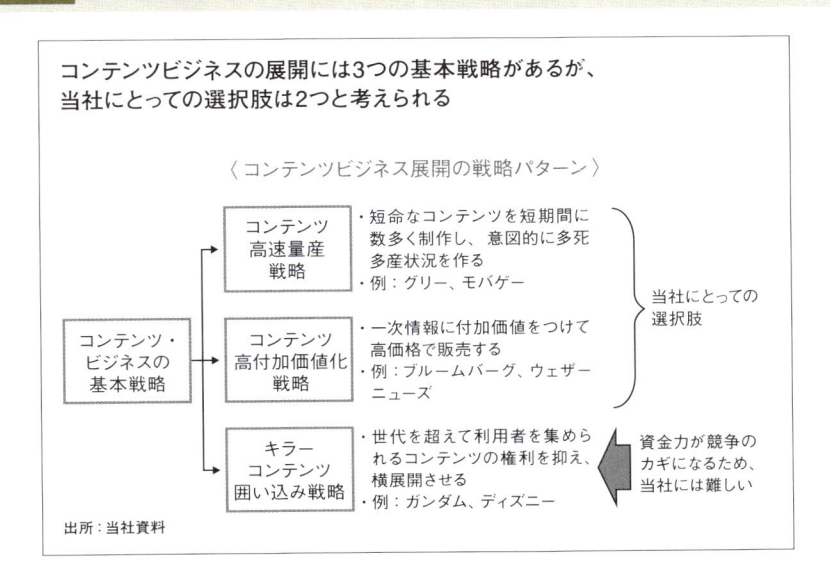

コンテンツビジネスの展開には3つの基本戦略があるが、
当社にとっての選択肢は2つと考えられる

〈 コンテンツビジネス展開の戦略パターン 〉

```
                    ┌──────────┐   ・短命なコンテンツを短期間に   ┐
                 ┌─→│ コンテンツ │     数多く制作し、意図的に多死   │
                 │  │ 高速量産  │     多産状況を作る              │
                 │  │   戦略   │   ・例：グリー、モバゲー          │
                 │  └──────────┘                               │  当社にとっての
┌──────────┐   │  ┌──────────┐   ・一次情報に付加価値をつけて   ├  選択肢
│コンテンツ・│   │  │ コンテンツ │     高価格で販売する             │
│ビジネスの │──┼─→│高付加価値化│   ・例：ブルームバーグ、ウェザー  │
│ 基本戦略 │   │  │   戦略   │     ニューズ                    ┘
└──────────┘   │  └──────────┘
                 │  ┌──────────┐   ・世代を超えて利用者を集めら   ⇦ 資金力が競争の
                 │  │  キラー  │     れるコンテンツの権利を抑え、     カギになるため、
                 └─→│ コンテンツ │     横展開させる                  当社には難しい
                    │囲い込み戦略│   ・例：ガンダム、ディズニー
                    └──────────┘
```

出所：当社資料

18　プレグナンツの法則

■ 心理学が明確化した視覚の効果

　プレグナンツの法則[*4]とは、もともとゲシュタルト心理学[*5]が明らかにした「人間の認知に関するある種の傾向」を言い表す言葉です。もともとは視知覚だけに限定されていたのですが、この法則は記憶や学習、思考にも当てはまることが後の研究によって明らかになっています。
　プレグナンツの法則のいくつかはチャート作成に有用なヒントを与えてくれますので、覚えておくとよいでしょう。

■ 近接の要因

　近接の要因は、要するに「近くにあるものは同じグループとして認識してしまう」ということです。たとえば下のような記号に出合った場合、

　　　　　｜｜　　　｜｜　　　｜｜　　　｜｜

[*4] ベルリン学派に属するヴェルトハイマーが提唱した主に視知覚に関する傾向。プレグナンツとは「簡潔」の意。
[*5] 心理学の一分野。ゲシュタルト（実際の発音はゲシタルトに近い）とは「全体性」を表す。人間の精神、特に認識のシステムが部分の集合ではなく、全体性に基づいて機能すると提唱した。例えば我々は文字を見るときに部分の集合としてその文字を認識しているわけではないということ。逆に、対象の全体性が失われて個々の部分としてしか認識できなくなることを「ゲシュタルト崩壊」という。慣れ親しんだ文字を長時間見つめていると突如その文字に違和感を覚えて「こんな字だったか？」と思えることがあるが、これは「ゲシュタルト崩壊」の典型例である。

近い者同士を一まとまりの情報として認識する傾向を指します。これをスライド作成に活用すると、同じグループとして認識させたい情報は、何らかの記号によって閉じるか、レイアウトする場所を近接させることで、そう認識させることが可能になる、ということです。

　例えば、図69のスライドと図70のスライドの内容は全く同じです。わずかに図70の方が、カテゴリー別にコラムの距離を離しているだけなのですが、一見してこちらの方がわかりやすいことをおわかり頂けると思います。

　また、先ほど事例として挙げた某国の道路標識の改善例である図62、63は、近接の要因を用いた改善例と言えます。

図69 「近接の要因」を用いていないスライド

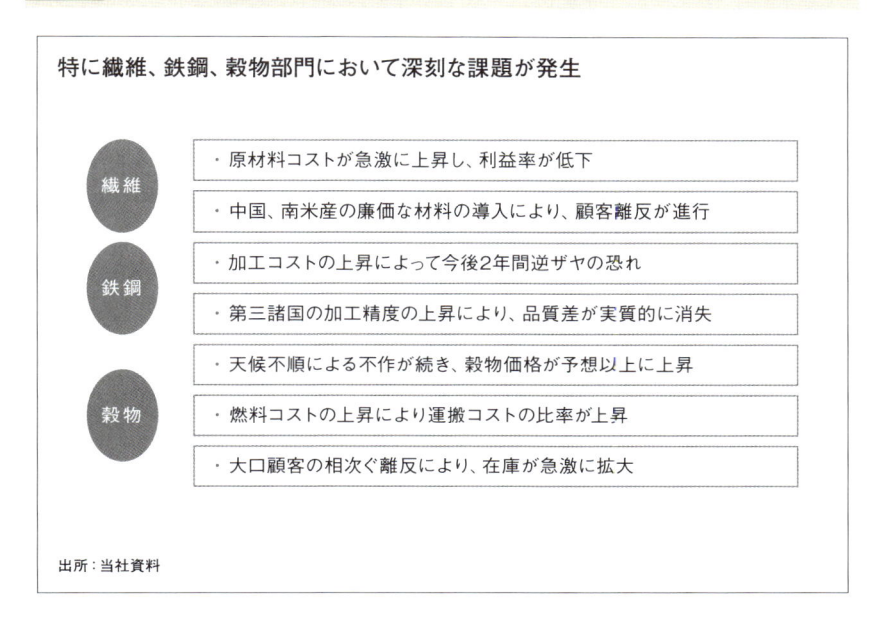

特に繊維、鉄鋼、穀物部門において深刻な課題が発生

繊維
・原材料コストが急激に上昇し、利益率が低下
・中国、南米産の廉価な材料の導入により、顧客離反が進行

鉄鋼
・加工コストの上昇によって今後2年間逆ザヤの恐れ
・第三諸国の加工精度の上昇により、品質差が実質的に消失

穀物
・天候不順による不作が続き、穀物価格が予想以上に上昇
・燃料コストの上昇により運搬コストの比率が上昇
・大口顧客の相次ぐ離反により、在庫が急激に拡大

出所：当社資料

■ **閉合の要因**

　閉合というのは「囲まれた領域」ということで、互いに閉じあっているものは1つのグループとして認識されやすいということです。例えば、

　　　　　）（　　）（　　　）（　　）（　　　）（　　）（

という図形に出合った場合、人間は、パターンの最初が「　）」で始まって

図70　「近接の要因」を用いたスライド

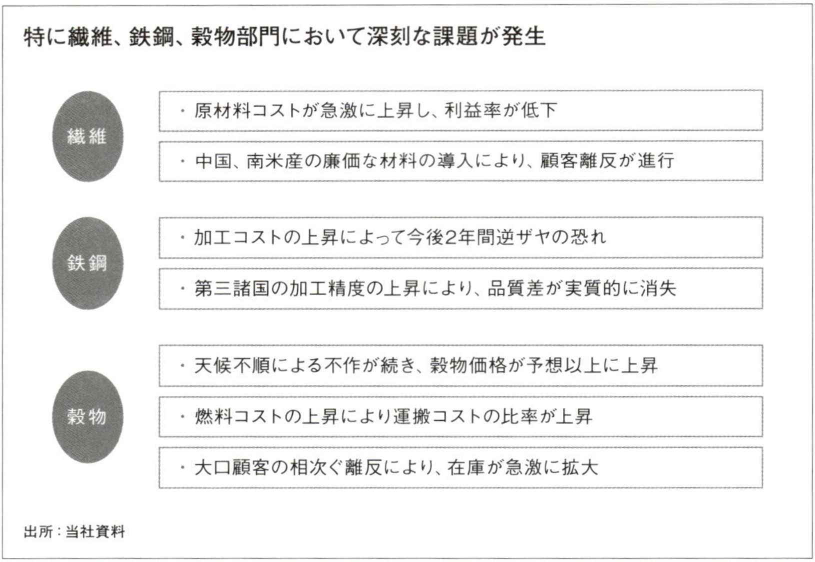

特に繊維、鉄鋼、穀物部門において深刻な課題が発生

繊維
・原材料コストが急激に上昇し、利益率が低下
・中国、南米産の廉価な材料の導入により、顧客離反が進行

鉄鋼
・加工コストの上昇によって今後2年間逆ザヤの恐れ
・第三諸国の加工精度の上昇により、品質差が実質的に消失

穀物
・天候不順による不作が続き、穀物価格が予想以上に上昇
・燃料コストの上昇により運搬コストの比率が上昇
・大口顧客の相次ぐ離反により、在庫が急激に拡大

出所：当社資料

いるにもかかわらず、「　）（　」の連続ではなく「（　）」の連続と認識する傾向がある、ということです。

図71を見てください。「攻め」と「守り」と記されていて、なんとなく、どれがどれに関連するのかはわかりますが、ちょっと戸惑います。これを図72のように［　］で囲むだけで、場所をまったく動かしていないにもかかわらず、何と何が対応しているのかが明確になります。

先述した近接の要因を考慮すると、近い場所にある括弧同士がくっついて認識される気がしますが、この場合はそう認識されないのが感覚的におわか

図71　「閉合の要因」を用いていないスライド

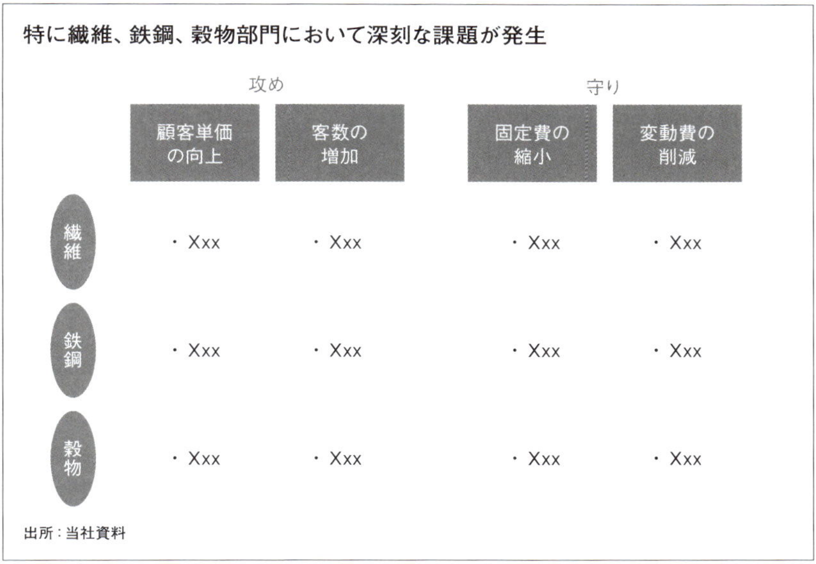

特に繊維、鉄鋼、穀物部門において深刻な課題が発生

	攻め		守り	
	顧客単価の向上	客数の増加	固定費の縮小	変動費の削減
繊維	・Xxx	・Xxx	・Xxx	・Xxx
鉄鋼	・Xxx	・Xxx	・Xxx	・Xxx
穀物	・Xxx	・Xxx	・Xxx	・Xxx

出所：当社資料

り頂けると思います。閉合の要因とは「閉じあっているもの同士は一まとまりに認識されやすい」ということを示す法則です。例えば図72では、閉じた括弧同士がグループを成すように認識されます。

■ グーテンベルグ・ダイアグラム

プレグナンツの法則とは別の話になるのですが、最後に、チャート上の情報をレイアウトするに当たって1つ覚えておくといい知識として、グーテンベルグ・ダイアグラムを紹介しましょう。

グーテンベルグ・ダイアグラムとは、均等に配置された情報を視る際の、一般的な視線の流れのパターン化したものです。

図73を見てください。グーテンベルグ・ダイアグラムによると、視線は左

図72 「閉合の要因」を用いたスライド

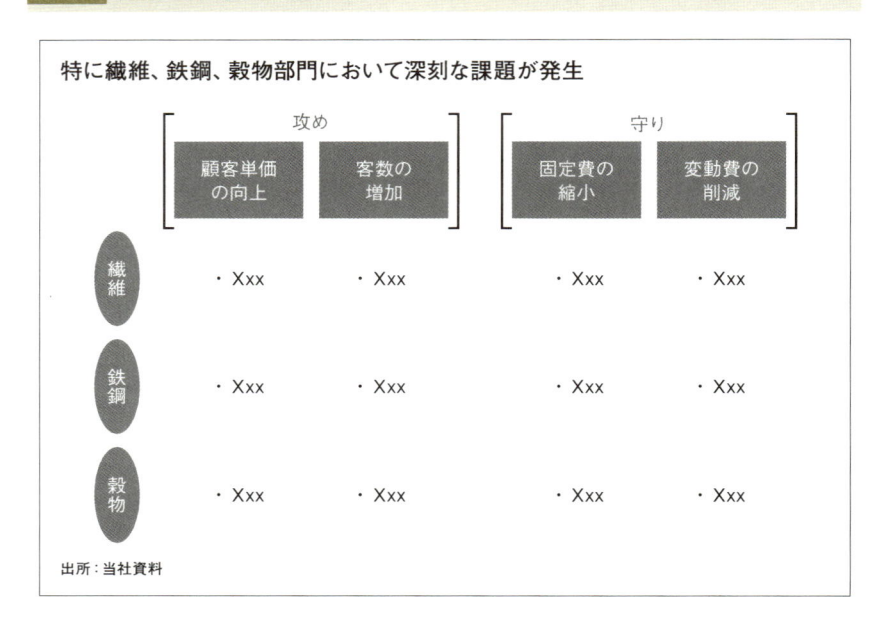

特に繊維、鉄鋼、穀物部門において深刻な課題が発生

	攻め		守り	
	顧客単価の向上	客数の増加	固定費の縮小	変動費の削減
繊維	・Xxx	・Xxx	・Xxx	・Xxx
鉄鋼	・Xxx	・Xxx	・Xxx	・Xxx
穀物	・Xxx	・Xxx	・Xxx	・Xxx

出所：当社資料

上から右下の領域に移動し、特に右上に強い休閑領域が発生します。休閑領域に配置された情報は、他の領域に配置された情報に比較して注意のレベルが低下することが様々な研究からわかっています。

従って、スライドを説明する順序や理解のプロセスは、視線の流れに沿うべきであること、特に重要な情報を右上の「強い休閑領域」には配置しないことが求められます。

図73　グーテンベルグ・ダイアグラム

〈 スライド上の視線の移動経路 〉

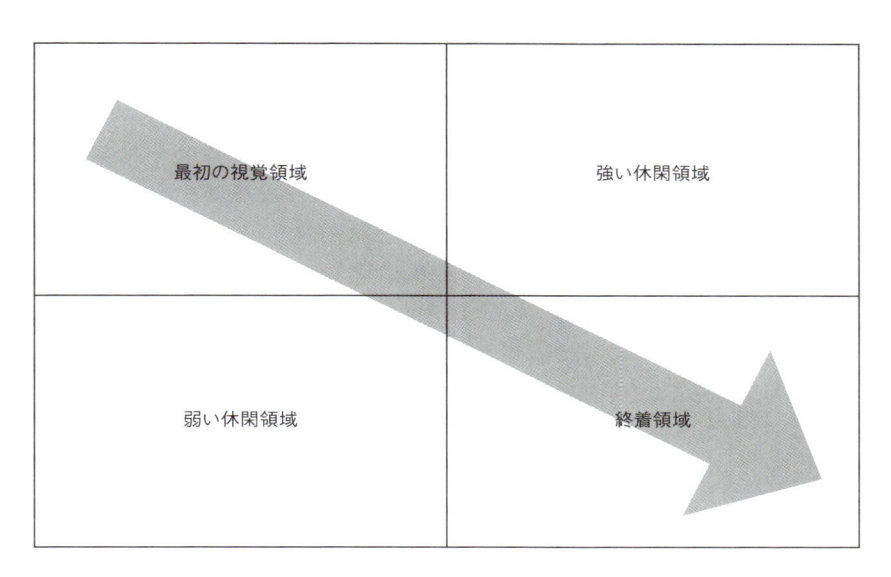

最初の視覚領域	強い休閑領域
弱い休閑領域	終着領域

出所：××××

19 さらなる上級者になるためのヒント

■ 二次元に留める

プレゼンテーションに用いる紙は、二次元の表現には適していますが、三次元の表現にはあまり向いていません。三次元のものを表現しようとする時は、三次元構造をそこで展開しようとせず、二次元の表現を繰り返すことで三次元表現を代替する方が無難です。

図74　三次元構造を用いた「悪いスライド」

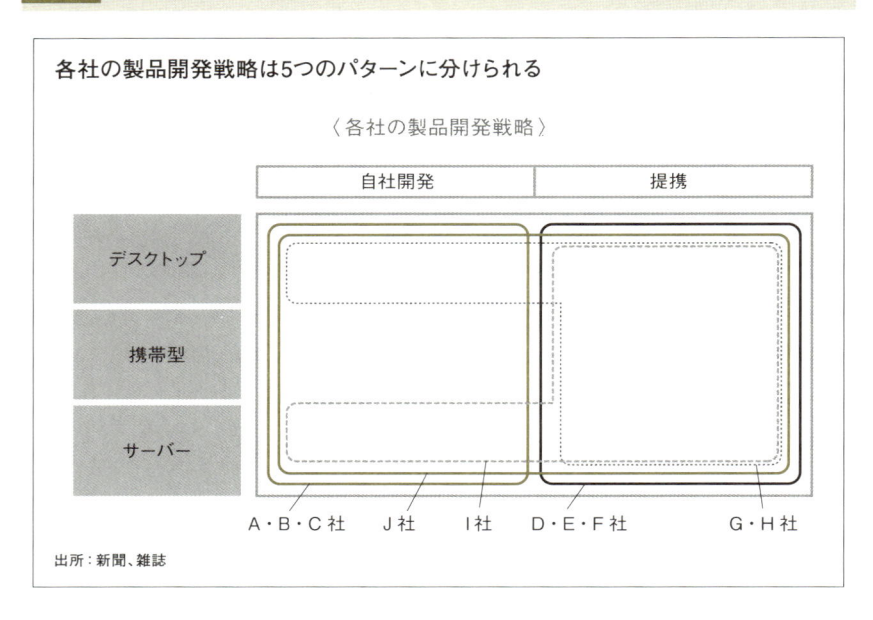

各社の製品開発戦略は5つのパターンに分けられる

〈各社の製品開発戦略〉

	自社開発	提携
デスクトップ		
携帯型		
サーバー		

A・B・C社　　J社　　I社　　D・E・F社　　G・H社

出所：新聞、雑誌

紙上で三次元を表現しようとすると、余程の達人でないと非常にわかりにくいものになってしまいます。たとえば図74はその典型と言えます。少しスライド作成になれてきた頃にこういうアクロバチックなことにトライして失敗してしまう人が多いので気をつけてください。このスライドでは、業界の各社ごとに開発のアプローチが異なることを、縦軸に機器タイプ、横軸に開発アプローチをとったマップを用いて説明しようとしています。狙いはわかるのですが、メッセージ通りにこの図から「5つのパターン」を読み取るには相当の努力と忍耐を見る側に強いることになります。この場合、失敗の原因は3種類の軸を同時に1つの構造の中で示そうとしている点にあります。

　合成や重ね合わせは図表を簡潔化するための非常に有効な手段ですが、この場合は読みやすさが著しく損なわれてしまっているので本末転倒になっています。

図75　二次元×nに整理された「良いスライド」

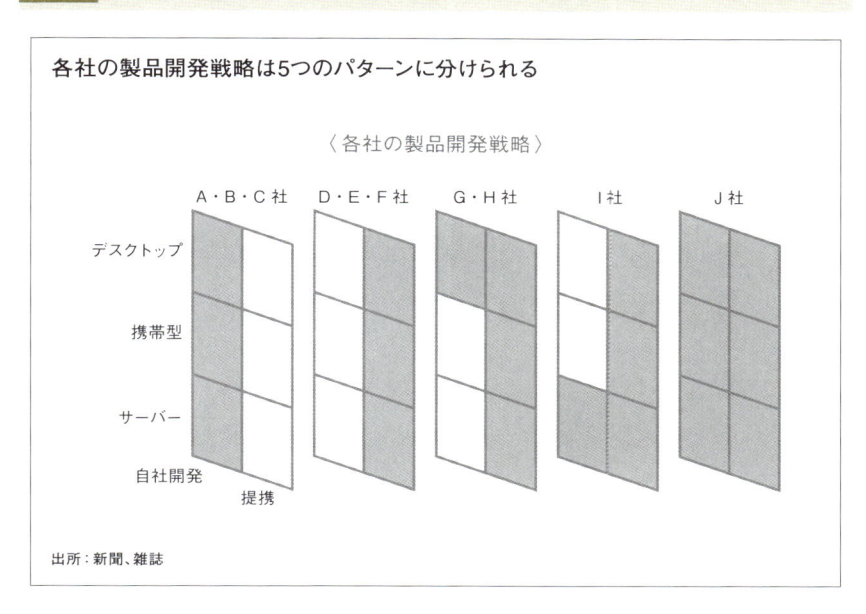

各社の製品開発戦略は5つのパターンに分けられる

〈 各社の製品開発戦略 〉

A・B・C社　　D・E・F社　　G・H社　　I社　　J社

デスクトップ
携帯型
サーバー
自社開発
提携

出所：新聞、雑誌

では、どうすればこのチャートをわかりやすくできるでしょうか。基本的に二次元の紙に三次元の情報を落としてしまっていることがわかりにくさの原因ですから、三次元の情報を二次元の情報の連続に変換することが必要になります。ということで、1つの解としては図75のような表現の仕方が考えられます。読んで字の通り、もともとの三次元の構造を、5つ連続する二次元の構造に変換しているわけです。

　また、それぞれの開発分野を表すチャートが斜めになっている点にも注意してください。三次元のチャートを二次元に分解する、と聞いて、同じチャートを小さくして、横に並べる人がいるのですが、そうしてしまうとスライド上のレイアウトが著しくアンバランスになってしまいます。

　この場合は、もともと横長だったチャートを、縦長のひし形に変形して横に5つ並べることで、レイアウトのバランスを保っています。

◼ 紙＞PP

　最後に、チャート作成において最も大事なポイントとして指摘しておきたいのが「紙が先、パワーポイントが後」という心がけです。これは、「まずレイアウトを考える際には、いきなりパワーポイントに向かわず紙でデッサンする」という基本原則です。スライドの構造を検討する際にいきなりパワーポイントに向かってしまう人が多いのですが、そうすると発想の枠組みそのものが「パワーポイントで表現しやすいフォーマット」に制限されてしまい、自由度を極端に低めてしまいます。

　最適なレイアウト・デザインを考察するのに最も必要なのは自由な発想です。「いま、このメッセージを伝えるのに、どういうビジュアルが最も適しているのか？」ということを考えてみること。そして、思いついたアイデアを紙に書いてみること。模写の効用について説明した際にも触れましたが、この「紙に手で書く」ということが非常に重要です。紙に手で書くことで脳が活き活きと発想を拡げ始めます。いきなりパワーポイントに向かってしまうと、この自由さがなくなってしまうのです。ですからレイアウトのデザインを行う際には、必ず「手で紙に書く」ことを肝に銘じてください。

ダメ押しに、フランスのポンピドゥーセンター新館の設計者に選ばれ、パリを拠点に欧州、米国など国際舞台で活躍する建築家でもある慶應義塾大学教授の坂茂[*6]氏の言葉をご紹介したいと思います。「紙＜PP」になってしまっている方は、よくこの言葉を噛み締めてみてください。

　「コンピューターの進化は建築の進化に役に立っていません。むしろ弊害になっています。もちろん、私の事務所もグローバルに展開しているわけでコミュニケーション手段として電子メールなどは使っています。しかし、よい建築をつくることに寄与していません。数値化すると数字に頼るようになり、CADを使うと一本の線を引く間に考えることをしなくなります。コンピューターを使って情報を蓄積するとただそれを寄せ集めるようになり、建築教育にもよい影響はありません。CADはもちろん使っていますが、新人には鉛筆で図面を引かせています。線を書く間にいろんなことを考え、いろんなことに気付くようになるからです」

　『団塊・シニアビジネス　7つの発想転換』（村田裕之・ダイヤモンド社）より抜粋

[*6] 日本の建築家。慶應義塾大学環境情報学部教授、ハーバード大学客員教授、コーネル大学客員教授等を歴任した後、現在京都造形芸術大学芸術学部環境デザイン学科教授。主な作品にカーテンウォールの家、壁のない家、ノマディック美術館、ポンピドゥーセンター新館等がある。

Column 「色」は3色まで

　スライドにおける「色」の使用について言及したいと思います。まず、基本的にほとんどのスライドは、モノクロで100%の完成度までもっていけると考えて下さい。もし、皆さんがスライド作成をしていて、白と黒の2色以外の色が必要だと感じることがあったら、それは色数の問題ではなく、表現しようとしているグラフやチャートの内容に問題がある、更に言えば、伝えようとしている情報そのものが複雑すぎるケースがほとんどだということです。

　最近、カラープリンターが普及したせいもあり、滅多やたらといろんな色を使ってスライドを作っている人がいますが、そういった方は、まず間違いなくスライド作成についてビギナーであると考えていいでしょう。スライド作成においては、まず基本的に白と黒の2色で完結できること、そして「ここぞ」というところで「赤」等のコントラストをつけるくらいに留めるように心がけて下さい。

　では、なぜ色数はできるだけ抑えた方がいいのでしょうか？

　筆者は、本書冒頭において、スライド作成の目的は、「ビジネスにおけるコミュニケーションを、より早く、より正確に、より少ない労力で成立させる」と定義しました。この目的に照らして考えてみた場合、色数が増えることで、コミュニケーションの効率は向上するどころか、低下するケースがほとんどなのです。

　色が異なる、ということはそこに差異が発生しているということですが、差異が発生する場所には必ず情報も生まれてしまいます（情報とはつまり差異のことです。この点については後の章でもう一度触れたいと思います）。コミュニケーションの受け手は、当然ながらその情報を処理せざるを得ないわけですが*、不必要に情報

処理の負荷をコミュニケーションの受け手に与えるのは、「早さ」「労力」の面で、スライド作成の目的にもとるものと言えます。

　逆に、これを作成者側から言えば、「色」には情報性があるため、スライドの構造をそんなに練らなくても、安易に「色」をたくさん使うことで何となく整理されたスライドが作れた気になってしまう、という危険性があるということになります。しかし、色数に頼ってスライド上の情報を整理することになれてしまうと、グラフやチャートの構造そのものを練り上げることでシャープに情報を整理するという技術を訓練できなくなってしまう恐れがあります。

　読者の皆さんは、できる限り色数を抑えて、グラフやチャートの構造を最適化することで情報を整理する、ということを是非心がけてください。

＊　生理学的には、人間の網膜には「白黒」光覚細胞と「カラー」色覚細胞の2種類が存在する（棹体細胞と錐体細胞）。白黒細胞は主に対象物の明暗や輝度、それから視野の辺縁部分の情報を伝えるために存在するのに対して、カラー細胞は視野の中心部分にしか存在せず、また明暗情報を伝える能力にも劣る。

PART 4

シンプルなスライドに磨き上げる

　ここから先は、グラフ作成やチャート作成の基本技を習得した、いわばスライド作成における中〜上級者になりつつある方向けのテクニックや心がけを紹介していきます。

　そして、本PARTでお伝えするメッセージは1つです。「いかにスライドをシンプルにするか」。これこそ、スライド作成の上級者になるためには避けては通れない、最重要ポイントです。

20 Less is More

■ 問題は情報量の少なさではなく多さ

　最初に指摘したいのが「Less is More」という心がけです。「より少ないことはより豊かなこと」という概念を、自らの簡潔さをもって示すこの言葉は、20世紀モダニズム建築を代表する建築家＝ミース・ファン・デル・ローエの言葉です。近代まで連綿と続いた「足し算」に軸足をおいた建築様式は、この言葉をターニングポイントにして「引き算」に軸足をおくように転換していきます。

　しかしこれがなぜ中〜上級者向けの心がけなのかと思われるかも知れません。実はスライド作成の技量が上がってきて中級者になりつつあるころに、落ち込んでしまう落とし穴があります。「情報を盛り込みすぎてしまう」というミスです。図76を見て下さい。これは「情報の量」と「メッセージの理解度」の関係を概念的に表したものです。

　例えばここに、真っ白なスライドが1枚あったとします。このスライドの情報量はゼロ、従って理解度もゼロということになります[*1]。このスライドに少しずつ情報を載せていくと理解度もそれにつれて高まります。しかしある一線を越えると、むしろ理解度は下降し始めます。情報が情報足りえず、ノイズになってしまうわけです。

[*1] アートの世界では必ずしも「空白＝情報ゼロ」ではない。『本朝画法大全』を著した土佐光起は「白紙ももようのうちなれば、こころにてふさぐべし」と述べている。考えてみれば、長谷川等伯の「松林図」の画面は殆どが空白だが、その空白こそが最も雄弁に「湿度」を語っている。

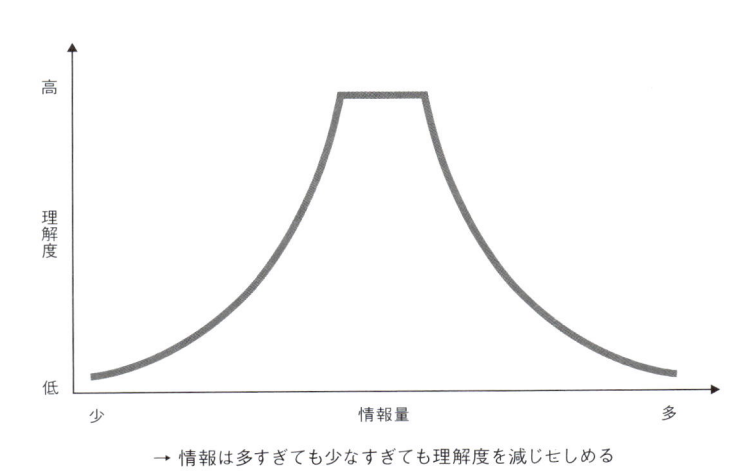

図76　情報は多すぎても少なすぎても理解度を下げる

〈情報と理解度の関係は富士山〉

→ 情報は多すぎても少なすぎても理解度を減じセしめる

　少なすぎる情報は良くないと誰もが考えています。しかし、多すぎる情報もまた問題なのです[*2]。スライド作成の基本技術を習得して、そろそろ中〜上級に差しかかってきているかなという方の多くが「情報が少なすぎる」よりもむしろ「情報が多すぎる」という禁則を犯しています。
　例えば典型的なのは図77のようなスライドです。これは「売上が拡大しているにもかかわらず利益が減少している」ことを指摘するスライドですが、情報を多く詰め込みすぎているために要らぬ混乱を招く恐れがありま

[*2] 多く伝えることを義務付けてしまっているためにかえって情報が伝達できないという事例も世の中に多い。生命保険の商品説明書や目論見書はその典型。多く伝えることを義務付けてしまっているために結果的に誰も読まず、情報量がゼロなのと同じ状況が多くの場で発生している。

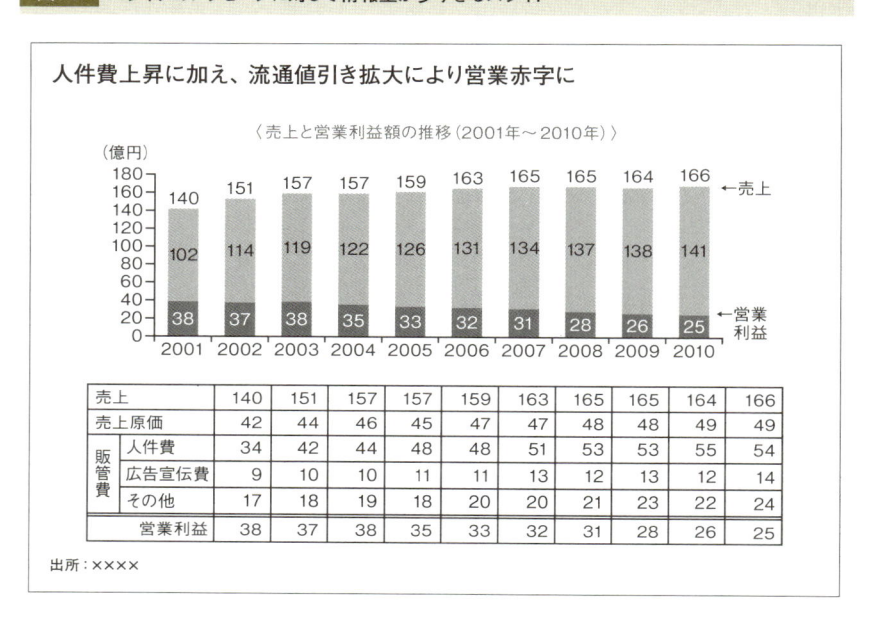

図77　スライドのメッセージに対して情報量が多すぎるスライド

人件費上昇に加え、流通値引き拡大により営業赤字に

〈売上と営業利益額の推移（2001年〜2010年）〉

	2001	2002	2003	2004	2005	2006	2007	2008	2009	2010
売上	140	151	157	157	159	163	165	165	164	166
売上原価	42	44	46	45	47	47	48	48	49	49
販管費 人件費	34	42	44	48	48	51	53	53	55	54
販管費 広告宣伝費	9	10	10	11	11	13	12	13	12	14
販管費 その他	17	18	19	18	20	20	21	23	22	24
営業利益	38	37	38	35	33	32	31	28	26	25

出所：××××

　す。恐らく、このスライドを作成した方は、利益減少の構造的な要因を理解してもらうために販管費の内訳を加えたのだと思います。しかし、もし利益減少の構造的な要因も伝えたいのであれば、「1スライド1メッセージ」のルールに従い、図78と図79のように、「ここ10年で売上は増えているのに利益は減少している」というメッセージを伝えるスライドと「利益減少の最大要因は人件費の増加」というメッセージを伝えるスライドに分割するべきでしょう。また、このように変更することで、1枚1枚のスライドのメッセージに対して、記載されている情報量が必要十分かつ最小限のものになっている点に注意して下さい。

　プレゼンテーションでは、こちらの意図通りに受け手側の意識や理解の流れをコントロールすることが求められますが、メッセージ以上の情報を盛り込むと、本来意図した議論のポイントとは別の点を取り上げる人が必ず出て

図78　スライドのメッセージに対して情報量が適切なスライド 1

ここ10年で売上は拡大しているものの利益はむしろ縮小

〈売上と営業利益額の推移（2001年、2010年）〉

（億円）

売上→ 140（102＋38）　2001年
　　　 166（141＋25）　2010年

営業利益→ 38（2001年）、25（2010年）

増減率
売上　　　+19%
売上（上部）　+38%
営業利益　−34%

出所：××××

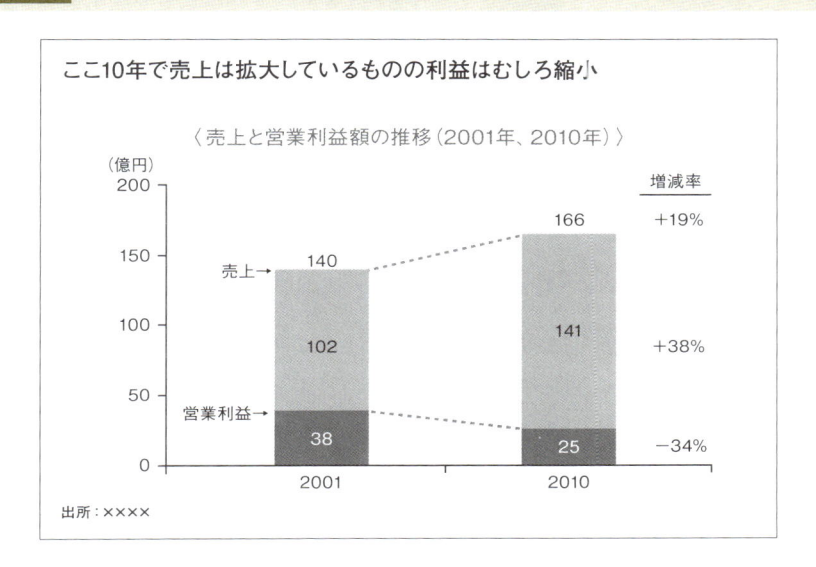

図79　スライドのメッセージに対して情報量が適切なスライド 2

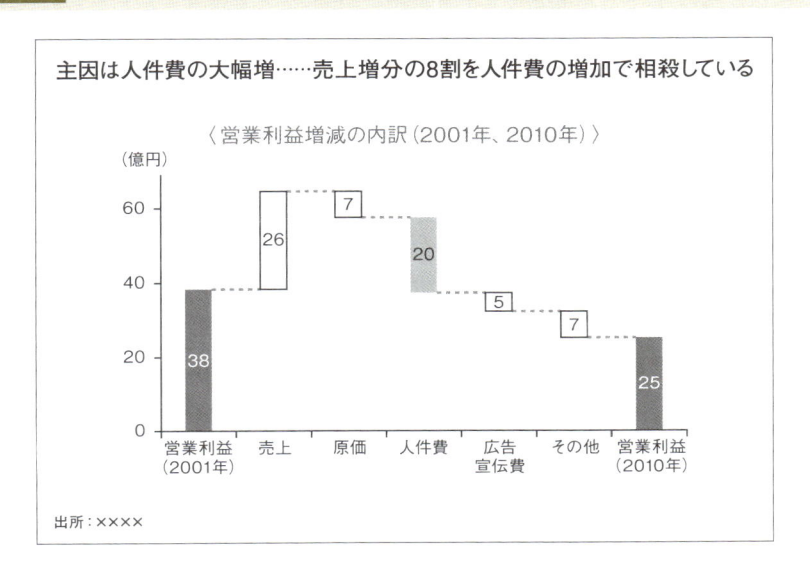

主因は人件費の大幅増……売上増分の8割を人件費の増加で相殺している

〈営業利益増減の内訳（2001年、2010年）〉

（億円）

営業利益（2001年）　38
売上　　+26
原価　　−7
人件費　−20
広告宣伝費　−5
その他　−7
営業利益（2010年）　25

出所：××××

きて流れのコントロールが非常に難しくなります。

　特に、グローバルコミュニケーションにおいては情報の受け手側は様々なバックグラウンドを持っていますので、不必要な情報を提供すると様々な反応が喚起されてしまう可能性があります。要らぬ議論の起爆剤になる可能性のある余計な情報は極力排除しながら、伝えたいメッセージに対して必要かつ最小限の情報のみをスライドに入れ込むことをつねに意識することが必要になります。

■ スライドのSN比を高める

　そこで重要になるのが「必要な情報と余計な情報の峻別」です。これは情報通信における、いわゆる「SN比」です。

　SN比とは信号と雑音の比率を表す用語で、SN比が高ければ伝送における雑音の影響が小さいことになります。スライド作成においては情報量を減らしていくことが重要だと述べましたが、必要な情報を削ってしまっては本来伝えたいメッセージが伝わりません。ポイントになるのはスライドに乗っている情報の「信号」と「雑音」を選別することです。

　この点について、航空機のコクピットがわかりやすい事例を提供してくれます。コクピットの歴史はそのままSN比改善の歴史でもあります。例えば我々が非常になれ親しんでいるボーイング747にはもともと130の計器がありましたが、最新型のダッシュ400では13しかありません。液晶やCRT[*3]の採用によって「いま」「ここ」で必要な情報だけを提示するようになったからです。つまり、以前のジャンボの計器は「どこか」で「いつか」必要になるかもしれない情報を「いつも」「すべて」提示していたのです。

　航空機の歴史を紐解くと、コクピットの計器の数は1950年代にピークを迎えています。図80は8発の爆撃機ボーイングB52の操縦席ですが、パネル

＊3　Cathode Ray Tubeの略。図像を表示するための陰極線管でブラウン管とほぼ同義。

に収まりきらなかった計器が窓の上部にへばりつき、またその計器の間を縫うようにしてスイッチがのたくって曼荼羅の様な状況になっています。

パイロットは、パネル上に目を走らせて高速で計器を読み取っていくスキャンという技術を徹底的に鍛えますが、さすがにここまで計器が多いと辟易したらしく、当時のパイロットからは相当の苦情があって、これ以降、コクピットの計器類は「いかに簡略化するか」という方向で進化していくことになります。

その最終進化系は例えばボーイング787に見ることができます。図81は最新鋭（2012年現在）のボーイング787のコクピットですが、ほとんど計器がないことがわかります。「いま」「ここで」必要な情報だけを提示するシステ

図80　すべての情報をいつも提示しているB52のコクピット

出所：Wikipedia Commons

PART4　シンプルなスライドに磨き上げる

ムになっているわけです[*4]。翻って考えれば、企業の舵取りをするパイロットであるエグゼクティブにとっても、重要なのは「いま」「ここで」必要な情報ということになります。

我々は「いつか」「どこか」で必要になるかも知れない情報をなるべくそぎ落としていくことを求められているわけです。

図81　必要な情報のみに絞り込んでいるB787のコクピット

出所：Wikipedia Commons

[*4]　いわゆる「グラス・コクピット」と呼ばれるシステム。もともとグラス・コクピットは航空機のみに用いられる用語だったが最近は自動車や鉄道においても用いられるようになってきた。同様の思想を採用することでインターフェースを劇的にシンプルにした機器を多くの読者の方もお持ちのはずである。スマートフォンである。

21 SN比を改善する①「必要・不必要」

■ インク量＝情報量

　どのようにすれば「必要な情報」のみを「効率的に」見せることができるのか。ここでポイントになってくるのが「インクの量」への意識です。インクは、紙の白に対して「差異」を形成します。この「差異」にセンシティブになることが非常に重要です。なぜなら、差異とは情報そのものだからです。例えば情報理論の創始者であるグレゴリー・ベイトソン[*5]は「情報とは差異である」とそのままズバリ指摘しています。また、構造主義哲学に大きな影響を与えたスイスの言語学者＝フェルディナンド・ソシュール[*6]も「言語とは差異の体系である」と定義しています。要するに2人とも「情報は差異の構築物だ」と言っているんですね。これは「トン」と「ツー」だけで、どんな文章でも作ることができるモールス信号を考えてみればわかることですし、さらに言えば言葉以外の表現、例えば音楽もまた差異の建築物と言えます。

　スライドの場合、この「差異」は、紙の「白」とインクの「黒」によって形成されます。従って、それがどんな記号や線や文字であっても、スライドの上にインクを載せるとそこに差異が発生し、情報量の増加をもたらすことになります。そしてその増えた情報量が、必ずしもすべて相手にとって重要

[*5] 米国の文化人類学・精神医学研究者。文化人類学に大きな足跡を残したマーガレット・ミードのパートナーでもあった。
[*6] スイスの言語学者。記号論を基礎付け、後の構造主義思想に影響を与えた。「近代言語学の父」とされる。

なわけではないかも知れない、ということをまずは意識することが必要です。

■「必要・不必要」を選別するアプローチ

インク量を減らすために考えなければならないのが、スライド上に載っているインクを「必要・不必要」の軸と「効率的・非効率的」の2軸で整理することです。まずは「必要・不必要」からご説明しましょう。

図82をご覧下さい。このスライドで伝えたいメッセージは「PF事業の売上げは急激に成長している」ですね。何のインク量を、どれくらい減らすことで、このスライドを改善できるでしょうか。

まず補助目盛を削除します。数値の微妙な差異が問題となる場合には補助

図82 SN比に問題があるスライド

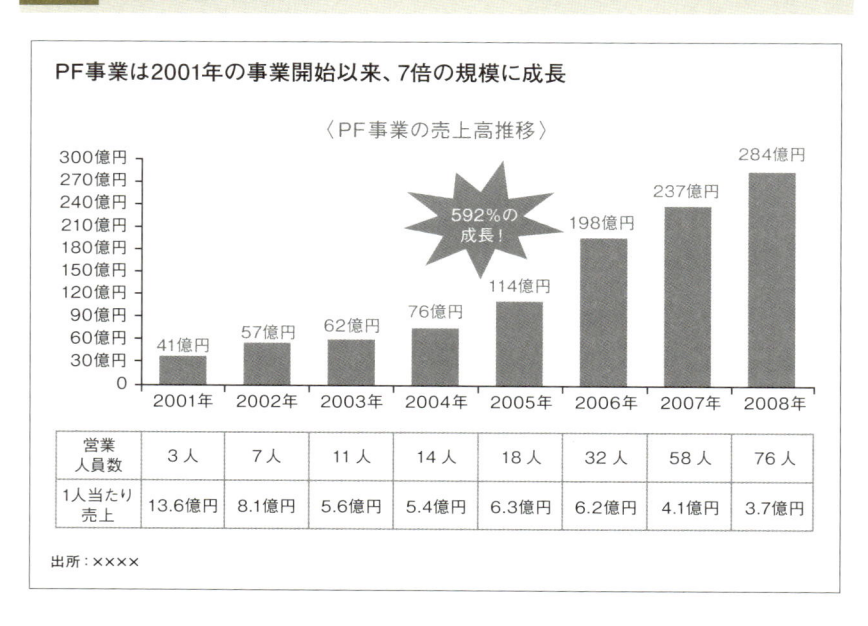

PF事業は2001年の事業開始以来、7倍の規模に成長

〈PF事業の売上高推移〉

	2001年	2002年	2003年	2004年	2005年	2006年	2007年	2008年
売上高	41億円	57億円	62億円	76億円	114億円	198億円	237億円	284億円
営業人員数	3人	7人	11人	14人	18人	32人	58人	76人
1人当たり売上	13.6億円	8.1億円	5.6億円	5.4億円	6.3億円	6.2億円	4.1億円	3.7億円

592%の成長！

出所：××××

目盛が必要ですが、今回は大きなトレンドさえわかってもらえればいいので必要ありません。また、グラフ下に記載されている営業人員数と1人当たり売上げのデータも不要です。メッセージとしては成長を訴えることが目的なので、生産性やコストに関連する人員数や1人当たり売上げのデータは無意味です。売上高だけを示すチャートにすればいいでしょう。

毎年の売上げ数値が並んでいますが、これも不必要です。メッセージとしては「2001年の事業開始以来、この事業の売上げが急成長した」と伝えたいので、2001年の売上高と2008年の売上高を提示すればそれで伝わります。「592％の成長！」と書かれた爆発マークも軽薄に見えるのでとってしまいましょう。

ここまで来るとスライドは図83のようになります。

図83　SN比が改善されたスライド1

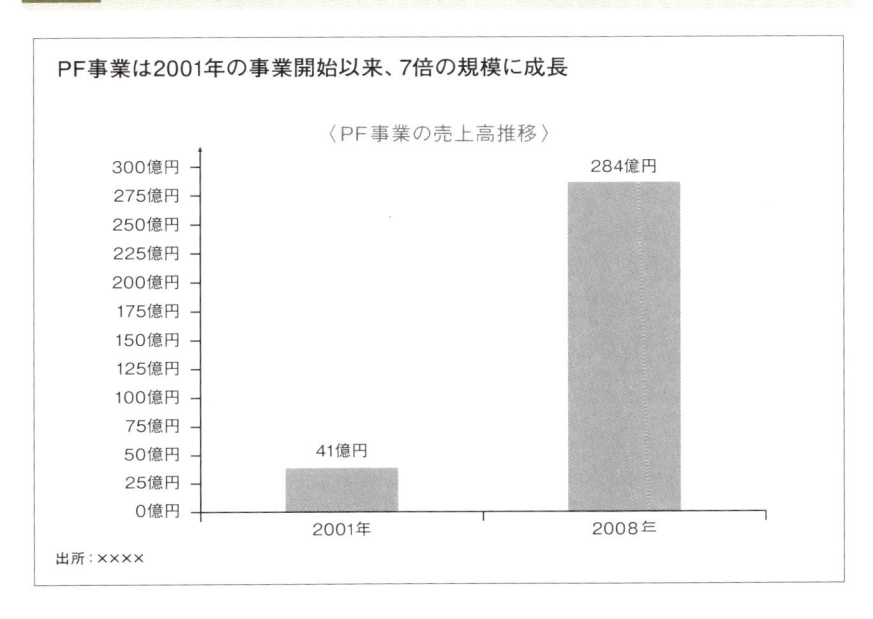

PF事業は2001年の事業開始以来、7倍の規模に成長

〈PF事業の売上高推移〉

2001年: 41億円
2008年: 284億円

出所：××××

22 SN比を改善する② 「効率・非効率」

■「重複排除」のアプローチ

　次に情報を「効率・非効率」の軸で整理します。その際の基本的なテクニックは、「重複排除」と「間引き」です。まずは「重複排除」について見ていくことにしましょう。

　図83のスライドで目に付くのは、まず目盛り軸の「億円」の重複です。これを軸の上に1つだけ表記することで残りは全部削除します。バーグラフの上の売上げ数値からも「億円」は省けます。

■「間引き」のアプローチ

　次に「間引き」です。このスライドの場合、売上を表す縦軸の目盛りが25億円刻みになっていますが、これを100億円刻みに変えることでまたインクが減らせます。

　これは基本的なテクニックとして覚えておいてほしいのですが、数値を表すグラフにおいて目盛りはせいぜい3～5程度に抑えるようにしましょう。目盛の数を減らしたとしてもメッセージの伝わりやすさは改善こそすれ、悪化するということはほとんどのケースでないはずです。

　ここまでするとスライドは図84のようになります。

■ インク量は減るが訴求力は増す

　こうしてみると、最初の状態の図82から、図84まで、ずいぶんインクの量が少なくなったことがおわかり頂けると思います。

注意してほしいのは、このようにインクの量が減ったにもかかわらず、「PF事業は2001年の事業開始以来、7倍の規模に成長」というメッセージを伝達する力は、目減りするどころかむしろ強化されている、という点です。

　こういった変化を私はSN比の改善、という概念で捉えています。図82の状態は雑音の比率が高く、図84の状態は信号の比率が高い、ということになります。

　スライドの作成において、実際に意識するのは「伝えたい情報の量」と「インクの量」の比率なのですが、これだと覚えにくいので、SN比というキーワードで記憶して頂ければよいかと思います。

図84　SN比が改善されたスライド 2

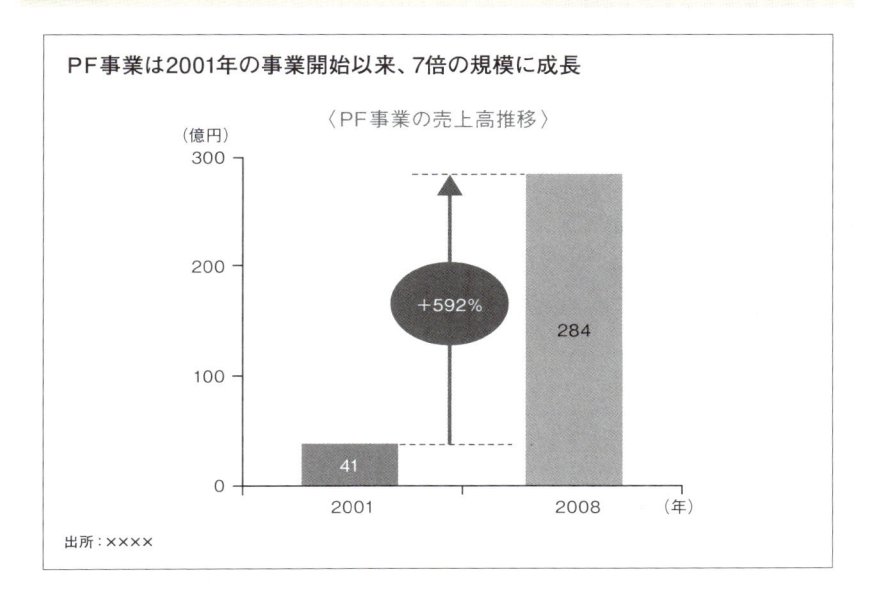

PF事業は2001年の事業開始以来、7倍の規模に成長

〈PF事業の売上高推移〉

(億円)

年	売上高
2001	41
2008	284

+592%

出所：××××

PART4　シンプルなスライドに磨き上げる

23 "Surprising yet right"

■ 情報は1文字で伝わることもある

　必要かつ最小限の情報まで情報を削る、ということを考えた時、その「必要な量」の見極めは相手によって変わってきます。極端な話、文脈さえ共有できていればコミュニケーションは「1文字」でも成立します。

　有名なビクトル・ユゴー[*7]の手紙がそうです。『レ・ミゼラブル[*8]』を脱稿して旅に出たユゴーは旅先から出版元であるラクロア書店に「？」と一文字だけ記した手紙を送りました。「売れ行きはどうか？」という質問です。これに対して出版社からは「！」の1文字が書かれた手紙が届きます。つまり「すごい売れ行きだ！」ということです。ユゴーと出版社の手紙がお互いに1文字で成立しているのは、お互いに何を知りたがっているかがわかっていて、しかも「恐らく売れるだろう」と双方が予想していたことがその背景にあります。文脈を共有していたのです。

　ビジネスにおいてこの概念を援用してみると「相手が何を知っていて、何を知らないか」ということを整理してメッセージを作成しろ、という示唆が得られます。

＊7　19世紀フランスの詩人、小説家、政治家。代表作に『レ・ミゼラブル』等の作品がある。
＊8　ビクトル・ユゴーが1862年に発表した長編小説。1本のパンを盗んだために19年間もの監獄生活を送ることになったジャン・ヴァルジャンの生涯を描いている。各社から文庫本が出されているが、筆者のおすすめは福音館書店の単行本。挿絵が素晴らしい。

■ 必要な情報量について考えるフレームワーク

この点についてタグボート[*9]のクリエイティブディレクター、岡康道さんの言葉 "Surprising yet right" が整理の枠組みを提供してくれます。

"Surprising yet right" とは「意外だけど言われてみれば納得できる」という意味です。この言葉を分解して「Surprising × Non-surprising」という軸と「Right × Wrong」という軸で4つの象限を作ると、それぞれの組み合わせに応じて必要な情報量が異なることがわかります（図85）。

図85 相手との関係性によって必要な情報量は変わる

〈情報は4つの象限に整理することが可能〉

円の大きさ＝必要な情報の量

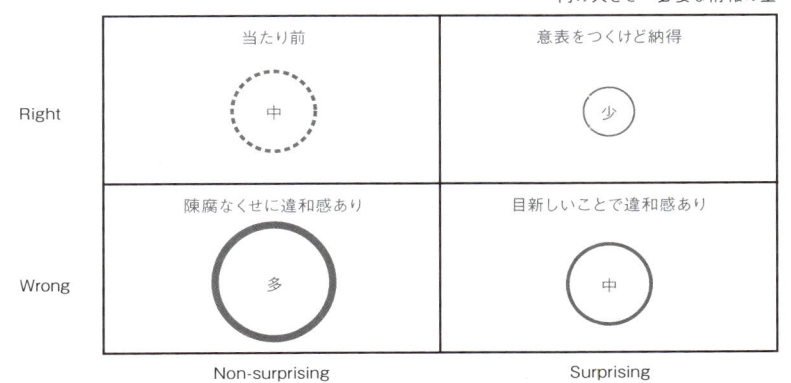

	Non-surprising	Surprising
Right	当たり前 / 中	意表をつくけど納得 / 少
Wrong	陳腐なくせに違和感あり / 多	目新しいことで違和感あり / 中

---

*9 1999年に岡康道（クリエイティブディレクター）、川口清勝（アートディレクター）、多田琢（CMプランナー）、麻生哲朗（CMプランナー）の4名が、電通から独立して設立したクリエイティブ（企画・制作部門）に専門特化した日本初の"クリエイティブエージェンシー"。

最も情報が必要になるのは「Non-surprising」「Wrong」の象限です。これは「既に知っていることに言及され、しかも納得感がない」ということを意味します。要するに「あなたがわかったと思っていることは間違っていますよ」というメッセージです。例えば、ある経営幹部が、「A事業の売上低下は、競合との価格差が要因だ」と信じていたとします。ところが分析してみると顧客は価格よりもサービスを重視していることがわかりました。このとき「A事業売上向上には、サービス要員の拡充とトレーニングが必要」というメッセージは、この経営幹部にとっては「既に自分はわかっているA事業の売上げ向上施策」、つまり「Non-surprising」なメッセージですが、その方策は自分が考えているものと異なっている、つまり「Wrong」ということになります。これをひっくり返すには相当の説得力が必要になります。情報量が他の象限に比較して最も多く必要になるのもおわかり頂けるでしょう。

　次に情報量を求められるのが「Surprising」「Wrong」の象限です。「考えてもみなかったことを言われたが、何か違和感がある」ということを意味します。いわゆる「別れ話」はこの象限の典型で、ある日突然「別れたい」と言われれば、相手にとってその情報は「Surprising」「Wrong」になりますね。言うまでもなく相当の情報量が必要になります[*10]。

　注意を要するのが「Non-surprising」「Right」の象限です。この象限に入る情報は、多い少ない以前の問題として、そもそもメッセージとして成立するのかという問題があります。もともと知っていることだから目新しくもないし、先方の思考の延長線上にあるメッセージなので付加価値もありません。この象限でメッセージに付加価値を出すためには、「深さ」を思いっ切り追求するしかありません。例えば、あるビジネスにおいて「ローコストのオペレーションが鍵だ」ということをクライアントが知っている状態では、ローコストオペレーションの推進を進言しても付加価値は生まれません。し

＊10　凄腕の詐欺師は、この象限の情報を言葉巧みにRightの方向に持っていくことができる。だまされる当人にとっては瞬間的にWrong＝違和感を覚えるものの、すぐに「そんなものかな」と思われてしまうのである。

かし、ローコストオペレーションを実現するための具体的な方策、例えば「業務のどこをアルバイトにやらせてどこは社員がやるか」「バイトのシフトはどの程度の時間スパンで組むと学習効率が高いか」といった深いレベルの情報まで踏み込めれば、そこに付加価値が生まれてきます。

　最も情報量が少なくて済むのが「Surprising」「Right」の象限です。この領域のメッセージは思いついた人間にも伝えられた人間にも一種のカタルシスをもたらします。「そうか、わかった！」という気持ち、いわゆる「アハ体験」[*11]ですね。「アハ体験」の最中には、脳細胞は非常な活性状態を示すと言われていますが、確かにこの象限のメッセージを顧客に伝える際には、全般に極めて少ない情報量でコミュニケーションが成立してしまう傾向があるように思います。

■ そのスライドは4象限のどこに位置するのか？

　恐らく、「Surprising yet right」というのは、広告クリエイティブのディレクターとしての岡康道さんが自分に課した矜持なのでしょう。広告の究極の目的は、ごく限られた情報量と時間で、見る人にとって「意味の転換」をもたらすことですから、必然的に「Surprising」「Right」なメッセージを追い求めざるを得ません。岡さんがこの言葉を矜持とされているのは非常に合理的なことだと私は思います。

　これらの考察を実務上の示唆にまとめれば、「相手が何を知っていて、どう考えているかを整理したうえでメッセージを考えるべき」ということになります。こう言われれば、多くの人は当たり前じゃないか、と思われるかも知れません。しかし、全般に日本のビジネスパーソンは「先方が既に知って

[*11] もともとはドイツの心理学者カール・ビューラー（Karl Bühler）が、「そうか、わかった!」と思う瞬間に発生する様々な現象を指して"Aha-Erlebnis"と名づけた。これを脳科学者の茂木健一郎が「アハ体験」として日本に紹介し、人口に膾炙するようになった。

いること」をスライドに盛り込みすぎる傾向があります。もちろん、ストーリーの関係で、ある程度既知の情報を入れざるを得ないという側面はあるものの、スライド作成の際は、改めて、今、あなたが相手に伝えたいと思っている情報が、先方にとって「どういう新しい情報価値があるのか？」「その情報は、先方にとって受け入れやすいものなのか？」という点を考察することが重要です。

　20枚のスライドからできている資料があったとして、1枚1枚のスライドが、先の4象限のどこに含まれるものなのかをチェックしてみて、先方にとって「Surprising」な情報がなければ、その資料は先方にとって余り意味のないものである可能性が高い、ということになります。

　更に、「Surprising」な情報が含まれていたとしても、それが先方にとって違和感のある（＝「Wrong」）な情報だとすれば、先方の認識を改めてもらうに足るだけの十分なサポートデータが必要になります。本当に現在の資料で、先方の認識を覆すに足るだけの「脇の堅い」情報がそろっているのか、といった検討が必要になります。

　この様に考えていくことで、先方にとって新味のない不必要な情報は最小限にしながら、先方にとって真に意味のある重要な情報のみを、しっかりとしたサポートデータを用いて説明するというメリハリの利いた資料を作成することが可能になります。

Column 　使い勝手と柔軟性

　メッセージが不明確で情報が膨大に盛り込まれたスライドは、私が知る限り日本に特有のもので、恐らくこれは日本の企業文化に起因しているのだと考えています。私がここでいう日本の企業文化とは会議においてアジェンダ＝議題を設定しないという傾向のことです。

　日本の、特に大企業には、会議において目的を明確にせず、むしろ会議に出席する役員がどのようなことを気にかけて議題にしたとしてもそれに対応できるようにあらゆる情報を準備しようとする強い傾向があります。こういった会議において資料準備を行い、議事進行を行う人々のことを「事務方」といいますが、これはもともと政治家が官僚を指して使っていた言葉ですから、まことに言い得て妙といえます。

　筆者はこの章で、メッセージを磨き込んだうえで、それを伝えるのに必要最低限な情報に絞り込むべきだ、とアドバイスしましたが、メッセージを明確化することがそもそも求められておらず、関連情報を網羅的に提供するように指示されている立場にある方が、このアドバイスを実践していくのは難しいかも知れません。もしあなたがそのような立場にあるのだとしたら、自分の意志をもってメッセージを打ち出し、それを効率的に視覚化することを求められる場所を職場以外にもつことが必要でしょう。本書の冒頭に記した通り、視覚化の技術は場数次第でいくらでも上達しますが、逆に言えば、そういう環境に身をおかなければ「資料作成のガラパゴス化」に陥っていく恐れがあります。

　会議においてアジェンダを設定しないため、どのような議論に

なっても対応できるように資料にすべての情報を盛り込んでしまい、結果、読みにくい資料ができ上がる。情報デザインの側面からこの問題を捉えてみると、これは「フレキシビリティとユーザビリティ」の問題に行きつきます。フレキシブルなデザインは、特化されたデザインよりも多くの機能を果たすことができますが、インターフェースは複雑になり、ユーザビリティは低下します（図86）。

　一般に、デザインはできるだけフレキシブルであるべきだ、と考えられていますが、この問題はそんなに単純に整理できません。

　情報デザインにおいてフレキシビリティは大変重要な要素ですが、一方でフレキシビリティが与えられることで複雑性は高まり、

図86　フレキシビリティの高いインターフェースとユーザビリティの高いインターフェース

学習のための時間も増加し、価格は上昇し、ユーザビリティは低下します。つまりフレキシビリティの高いデザインというのは、求める機能に焦点を絞れないユーザーが、将来使うかも知れない機能を評価して様々なコストを負担するという構造になっているわけで、これはファイナンス理論の枠組みで言えばオプションプレミアムを購入している、ということになります。例えば最もフレキシビリティの高いツールの一つにパソコンがありますが、パソコンのインターフェースの複雑さは、そのツールとしてのフレキシビリティの高さと比例関係にあります。ゲームだけやるのであれば、そのインターフェースはプレイステーションやWiiのようなシンプルなものにできるわけです。

　この点を演繹して考えてみれば、デザインのフレキシビリティとユーザビリティのトレードオフをどの点でバランスさせるかは、ユーザーがどのような利用目的でその装置を使いたいかが予測できている程度に依存することになります。ユーザーが自らの利用目的を明確にイメージできている場合、それらのニーズに特化したよりユーザビリティの高いデザインが好まれるでしょう。一方で、ユーザーがその利用目的を明確に定められない場合、よりフレキシブルなデザインが好まれます。そしてまた一般に、時間の経過に従ってフレキシブルなデザインから特化したデザインに向かう変化は、あらゆるシステムの進化において観察されるパターンといえます。

　これをビジネスにおけるコミュニケーションに置き換えて考えてみると、資料作成者は、その資料がどの程度のフレキシビリティを有しているべきなのかを判断する必要があることがわかります。そして求められるフレキシビリティというのは、ほぼ間違いなく会議におけるアジェンダの明確性に大きく依存することになります。目的の不明確な会議は会議出席者だけでなく、会議の準備を行う資料作成者にとっても時間的な負担が大きい、ということです。

PART
5

練習問題

　最後に、ここまでご紹介してきた内容の復習と、実践へのウォーミングアップを兼ねて、練習問題に取り組んでみましょう。問題と解答例をセットでご紹介していきます。ただし解答例は、1つの「例」ですので、必ずしもその解答例が絶対的に正しいわけではありません。より自分らしく、スライドを改善させることが本PARTの一番の狙いです。

本書冒頭からここまで、スライド作成における多くのルールや心がけに関してご説明してきました。人によっては、それらのルールは「なんだ、言われてみれば当たり前じゃないか」と思われるようなものだったかも知れません。しかし「言われてみれば知っている」ことと「実際にそれらのルールに則ってスライドを作成できる」ことの間には天地ほどの開きがあります。

　これらのルールに基づいて実務におけるスライド作成をしようと考えた場合、ルールを一々思い返しているようではダメで、ルール違反を犯すと気持ちが悪い、テクニックに違反しているスライドを見ると体がムズムズするというレベルにもっていく必要があります[*1]。そして、そのようなレベルまで持っていくための最大のポイントが「場数」になります。

　本来は実務の場で、スライド作成のルールを体得している方に指導してもらう、あるいはそういった方のスライド作成をずっと横から見ているというのが一番いい勉強方法なのですが、必ずしも読者のすべての方がそのような恵まれた仕事環境にはないでしょう。ということで、この章において少し練習問題をやって頂きたいと思います。

　すぐに解答例を見るのではなく、自分で一度じっくりと考え、自分なりの答えを考えてから、解答を見るようにしてください。解答例はあくまで解答例なので、皆さんがお考えになった答えの方が、よりベターな解答であることも十分にあり得ます。

[*1] 筆者を鍛えてくれた某マネージャーは、100枚のパッケージを5秒ほど「ザーッ」と見て、「このスライドを突っ込まれるとヤダな」とこっちが思っているスライドを必ず見つけ出して問題点を指摘していた。このレベルまでいくと一瞥で美術品の真贋を見抜く凄腕鑑定家である。

練習問題 1
EXERCISE

[グラフ]

　図87は「もともと90億円あった営業利益が、価格改定と販促費削減で増加すべきところ、値引きの横行によってむしろ減少してしまった」ことを伝えるスライドですが、いくつか問題があります。このスライドを修正して、メッセージがより明確に伝わるようにしてください。

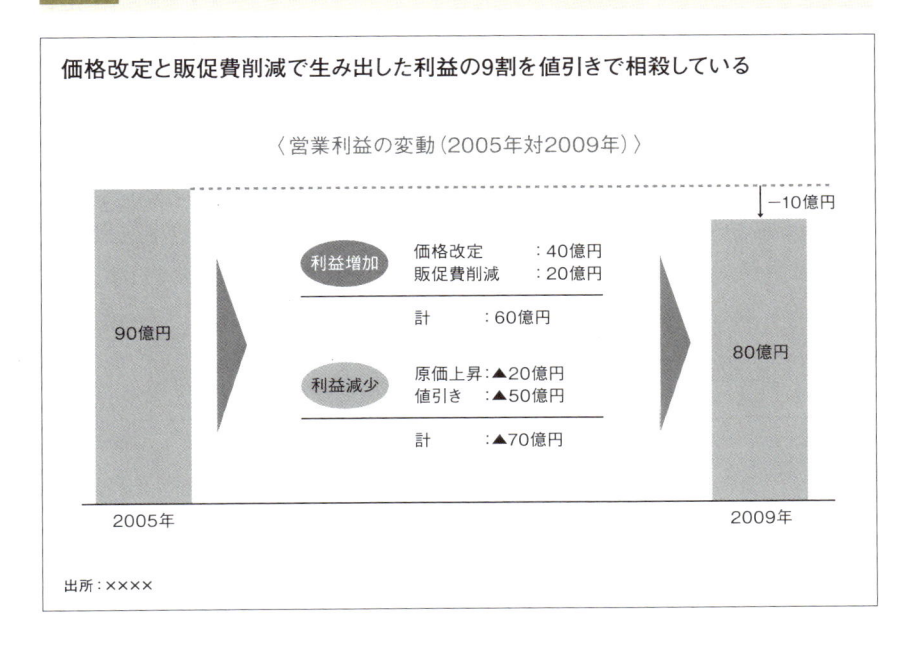

図87

価格改定と販促費削減で生み出した利益の9割を値引きで相殺している

〈営業利益の変動（2005年対2009年）〉

- 2005年: 90億円
- 2009年: 80億円
- −10億円

利益増加
- 価格改定　　：40億円
- 販促費削減　：20億円
- 計　　　　　：60億円

利益減少
- 原価上昇：▲20億円
- 値引き　：▲50億円
- 計　　　：▲70億円

出所：××××

練習問題1［グラフ］　解答例

　分析の内容にはインパクトがありますが、スライドを読み込まないとメッセージがよく理解できません。その理由の1つは、データ間のつながりが見えない点です。何が要因で増減したかが一目で伝わってきません。もう1つの理由は数量と視覚ボリュームが一致していない点です。これらを改善した解答例が図88です。滝チャートを使ってグラフ上に増減のダイナミクスをそのまま表現することで、図87にあった「利益増加」「利益減少」などのラベルも不要になります。また「億円」という単位表示も省略することでSN比を改善させています。更にメッセージのメインポイントである「値引きが与えるマイナスインパクト」にフォーカスが当たるように、値引き額のグラフにシェードをかけています。

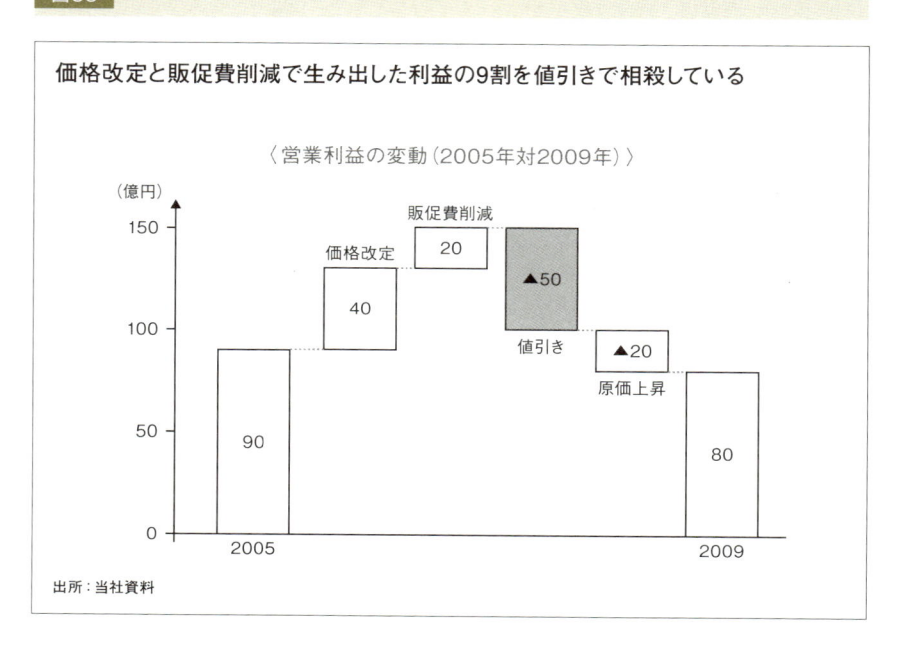

図88

価格改定と販促費削減で生み出した利益の9割を値引きで相殺している

〈営業利益の変動（2005年対2009年）〉

(億円)

- 2005: 90
- 価格改定: 40
- 販促費削減: 20
- 値引: ▲50
- 原価上昇: ▲20
- 2009: 80

出所：当社資料

練習問題 2
EXERCISE

［グラフ］

　図89は「一部の工場の出荷物流が分散化しており、スケールメリットが活かせていない」という問題を指摘しているスライドですが、物流関係を示す矢印が錯綜していて、読みにくくなっています。また、各工場とセンターとの物流量も、直感的にはなかなか把握できません。このスライドを、読みやすくなるように改善してください。

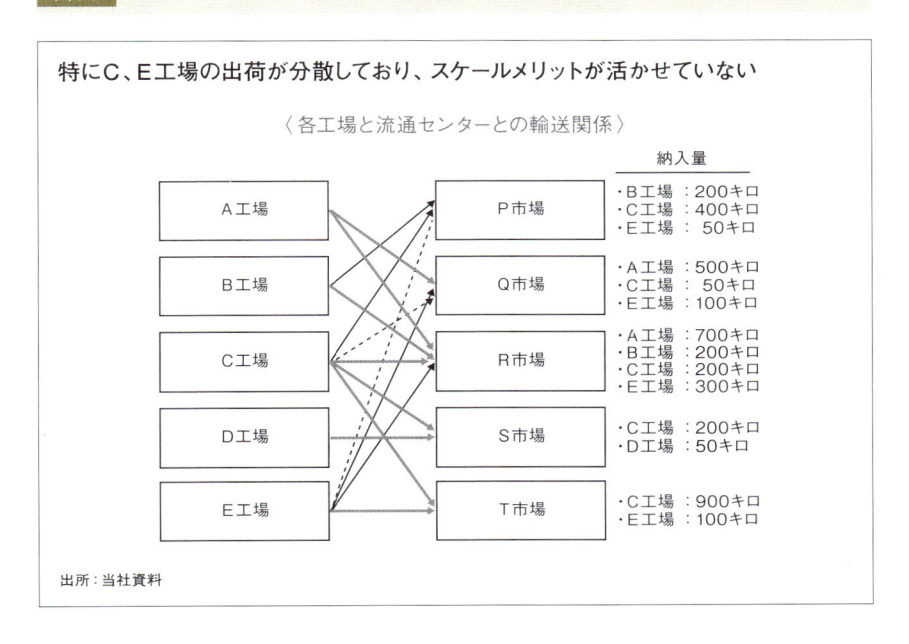

図89

特にC、E工場の出荷が分散しており、スケールメリットが活かせていない

〈各工場と流通センターとの輸送関係〉

納入量

P市場
・B工場：200キロ
・C工場：400キロ
・E工場： 50キロ

Q市場
・A工場：500キロ
・C工場： 50キロ
・E工場：100キロ

R市場
・A工場：700キロ
・B工場：200キロ
・C工場：200キロ
・E工場：300キロ

S市場
・C工場：200キロ
・D工場： 50キロ

T市場
・C工場：900キロ
・E工場：100キロ

出所：当社資料

練習問題2 [グラフ] | 解答例

　図89では縦に並べた系列データをそのまま矢印で結ぶと矢印が錯綜し、読みにくくなります。また、矢印の太さを納入量に応じて変えているのだと思われますが、ガイドが不親切で一見してそれとわかりません。

　このスライドは図90のように改善することができます。図89では縦と横の構造が不明確なので、まず系列を縦と横に分けることからはじめます。その上で納入量をシェードのグラデーションで表すことで、特にC、Eの2工場で納入量が分散化していることを示します。納入量を実数で各マトリクスに記載する方法もありますが、メッセージの骨子は工場と市場との細かい納入量の数値よりも、分散化していることにありますので、あえて細かい数値は捨象し、メッセージの伝達性を高めます。

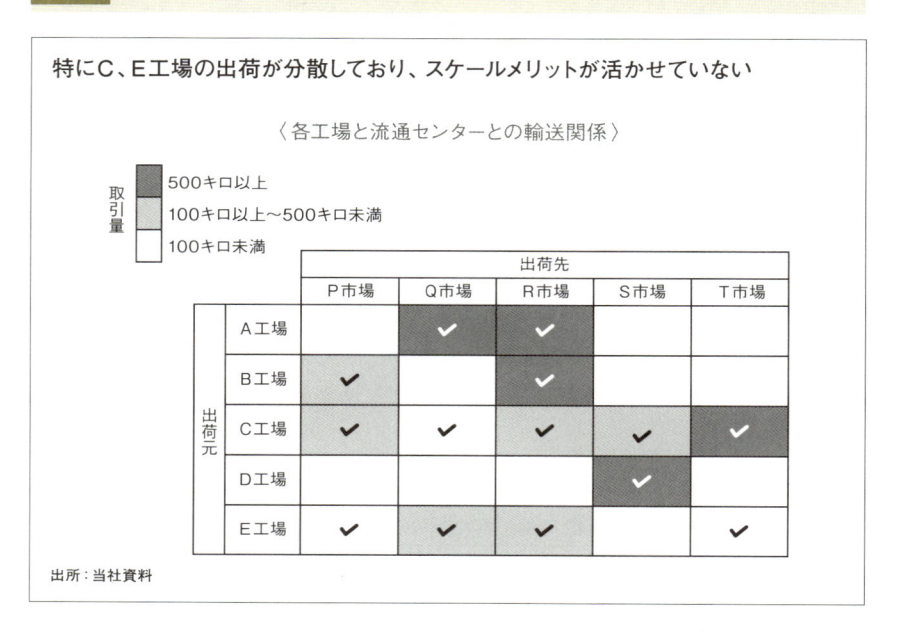

図90

特にC、E工場の出荷が分散しており、スケールメリットが活かせていない

〈 各工場と流通センターとの輸送関係 〉

取引量：
- ■ 500キロ以上
- ▨ 100キロ以上〜500キロ未満
- □ 100キロ未満

出荷元 \ 出荷先	P市場	Q市場	R市場	S市場	T市場
A工場		■✓	■✓		
B工場	▨✓		■✓		
C工場	▨✓	▨✓	▨✓	▨✓	■✓
D工場				■✓	
E工場	▨✓	▨✓	▨✓		▨✓

出所：当社資料

練習問題 3
EXERCISE [グラフ]

　スライドを作成する際には、どの情報にフォーカスを当て、メッセージにうまくつながるように加工するかを考える必要があります。
　図91は某企業における事業部別売上高の推移に関するデータです。
　これらのデータを用いながら、下記①〜④のメッセージを伝えるスライドを作成してください。

図91

	2000年	2001年	2002年	2003年	2004年	2005年	2006年	2007年	2008年	2009年
A事業部	85	93	107	126	130	138	154	175	192	206
B事業部	12	20	22	27	35	48	50	69	77	93
C事業部	46	39	44	50	62	66	58	53	45	30
D事業部	—	—	—	—	—	6	7	7	9	8
E事業部	—	—	—	—	—	—	5	12	25	48
合計	143	152	173	203	227	258	274	316	348	385

①市場規模は着実に成長しており、今後7％の成長が続けば5年後には500を突破する
②各事業部の売上には大きなバラつきが見られる
③E事業はC事業を代替して急激に成長している
④近年、C事業、D事業の成長に陰りが見えている

練習問題3 [グラフ] 　解答例

①の解答例

　メッセージは市場規模だけに言及しているので、事業部別の数値は用いません。さらに図92のように予測と実績の区別を視覚的に見せることが改善のキモになります。

②の解答例

　数値の大きさを比較する分析では通常データを大きい順に並べますが、ここでは読む人の立場を考えて図93のように事業部の名前順に並べています。
　このスライドでポイントになるのは平均線です。バラつきとは分散が大きいことですから、そのまま提示してもある程度伝わるのですが、平均とのかい離を見せることで更に読みやすさを高めることができます。

③の解答例

　図94のスライドのタイトルは、分析の結果そのものよりも、そこから示

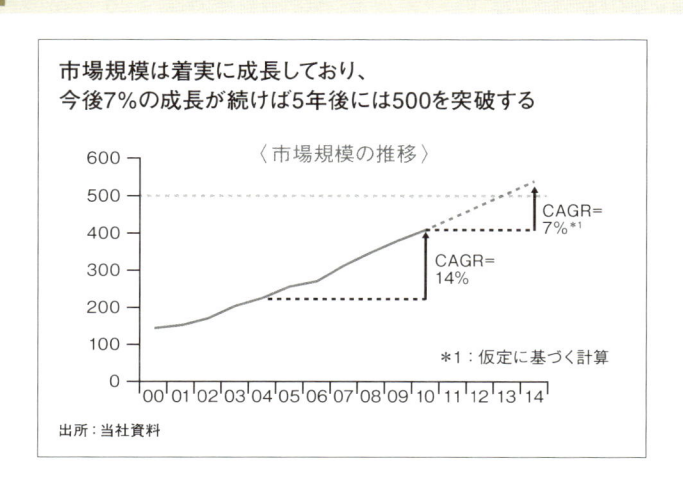

図92

市場規模は着実に成長しており、
今後7％の成長が続けば5年後には500を突破する

〈市場規模の推移〉

*1：仮定に基づく計算

出所：当社資料

唆される意味合いを示しています。本当に顧客が代替しているのかは、このスライドからはわかりませんが、伸びているE事業を縮小して行くC事業の上に配置することで、より代替のイメージが強くなることはおわかり頂ける

図93

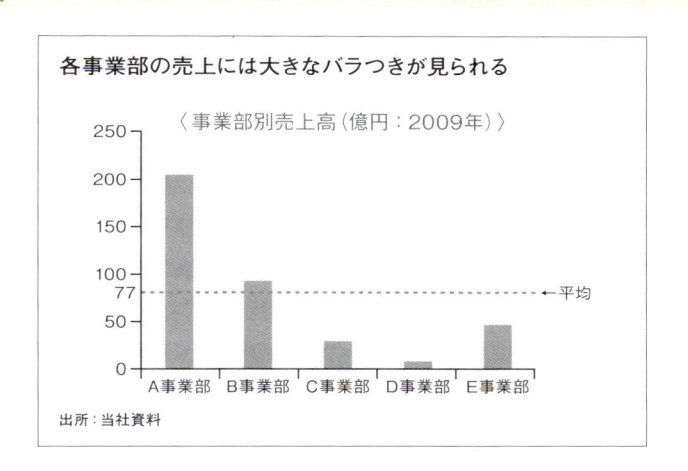

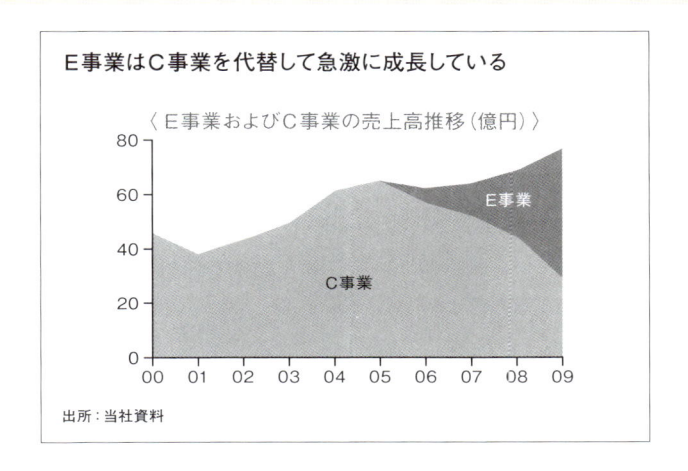

各事業部の売上には大きなバラつきが見られる

〈事業部別売上高（億円：2009年）〉

[棒グラフ：A事業部 約205、B事業部 約90、C事業部 約30、D事業部 約5、E事業部 約48、平均77]

出所：当社資料

図94

E事業はC事業を代替して急激に成長している

〈E事業およびC事業の売上高推移（億円）〉

[面グラフ：00年～09年のC事業とE事業の売上高推移]

出所：当社資料

と思います。また、より強調される方を濃いシェードにしておくことで読みやすさを高めることができます。

④の解答例

プレグナンツの法則における「近接の要因」に則って図95のように各事業部の売上数値をくっつけて提示します。少し間を開けて提示すると一気に時系列の棒グラフのように見えてきますので注意が必要です。

また通常の棒グラフの場合、2008年のバーと2009年のバーでシェードの濃さを変えてコントラストをつけるのが通常ですが、この場合フォーカスを当てたいのはC事業部とD事業部の売上低下ですから、あえて他の事業部の年別売上高にはシェードをかけず、C事業部とD事業部の悪化分のところだけシェードを濃くしてコントラストをつけています。

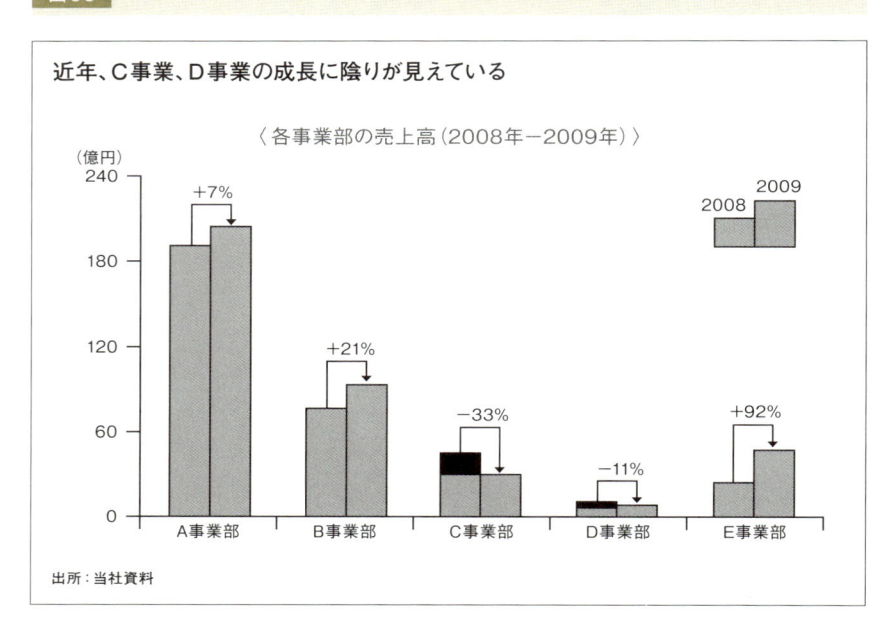

図95

近年、C事業、D事業の成長に陰りが見えている

〈各事業部の売上高（2008年－2009年）〉

出所：当社資料

練習問題 4

[グラフ]

　ここでは、数値データのチャート化を行います。図96は某市場における各社の売上数値データです。このデータを用いて、下記①〜④のメッセージを伝達するに当たって最適なチャートを作成してください。

図96

	2000年	2001年	2002年	2003年	2004年	2005年	2006年	2007年	2008年	2009年
A社	170	186	214	252	260	276	308	350	384	412
B社	24	40	44	54	70	96	120	138	154	186
C社	92	78	88	100	124	132	116	106	90	60
D社	—	—	—	—	—	12	14	14	18	16
E社	—	—	—	—	—	—	10	24	50	96
合計	286	304	346	406	454	516	568	632	696	770

①市場の過半数をA社が占めている
②参入5年目でE社は12%のシェアを確保。食われているのはC社
③2005年まで他社並みの成長を続けたC社はそれ以降衰退
④業界平均を上回って成長しているのはB社のみ

練習問題4［グラフ］　解答例

①の解答例

　本書で指摘した通り、円グラフの使用には注意が必要ですが、データ構成要素が5項目と少ないこと、A社がちょうど過半数を上回る程度であること（円グラフでは25%、50%、75%前後の数値がもっとも読みやすくなる）から、図97のようにあえて円グラフを用いています。

　項目数が多い場合、メッセージの伝達が損なわれない程度に細かい数値を「その他」でくくる等の工夫も有効でしょう。

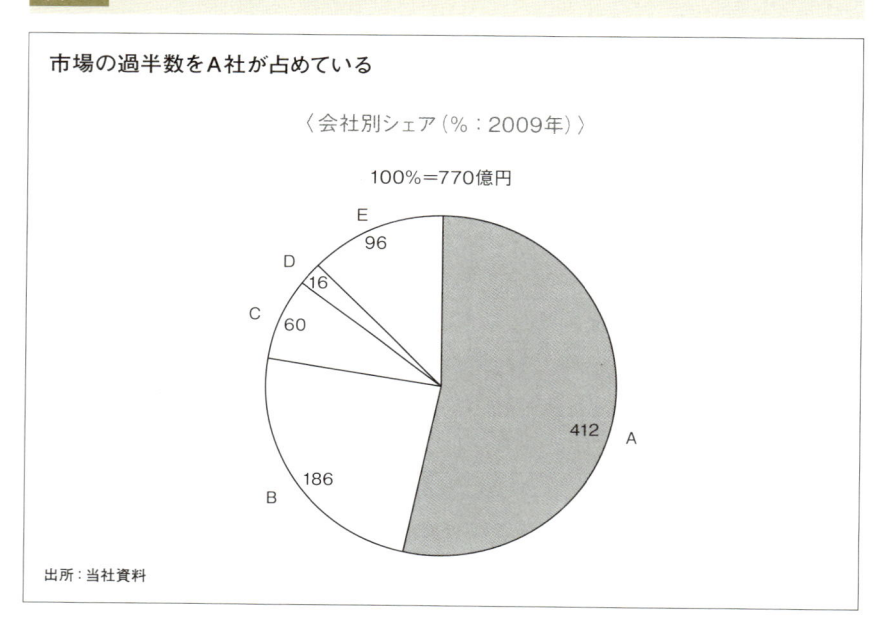

図97

市場の過半数をA社が占めている

〈会社別シェア（%：2009年）〉

100%＝770億円

A 412
B 186
C 60
D 16
E 96

出所：当社資料

図98

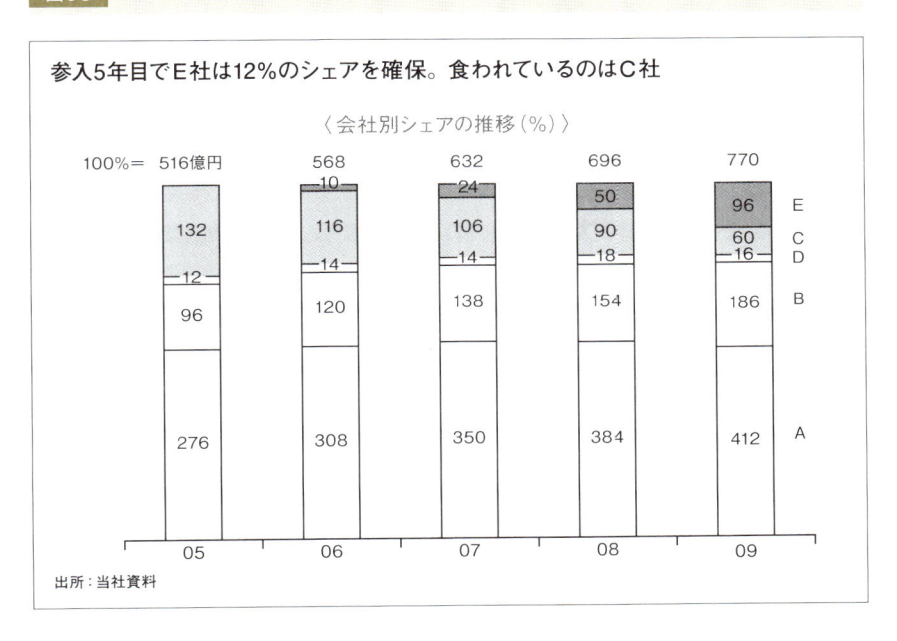

参入5年目でE社は12%のシェアを確保。食われているのはC社

〈会社別シェアの推移(%)〉

100%=	516億円	568	632	696	770	
E		10	24	50	96	E
C	132	116	106	90	60	C
D	12	14	14	18	16	D
B	96	120	138	154	186	B
A	276	308	350	384	412	A
	05	06	07	08	09	

出所：当社資料

②の解答例

図98はシェアの推移で用いられる典型的なフォーマットです。メッセージと関連のあるE社とC社のみにシェードをかけていること、その2社を棒グラフの上に並べて配置することで、C社を食ってE社が伸びているという視覚イメージを作り出している点に注意してください。

あと忘れてはならないのが100%の数値です。練習問題4の①の解答例もそうですが、構成比を用いる際は合計の絶対値を記載すると覚えて下さい。

③の解答例

複数項目の時系列推移を表す際には、図99のような折れ線グラフが最適なフォーマットです。

④の解答例

　絶対的な水準の異なる指標の「成長率」を問題にしているので、図100では指数グラフを用いています。この例でも構成比と同じように、実績の数値を記入することをお忘れなく。

図99

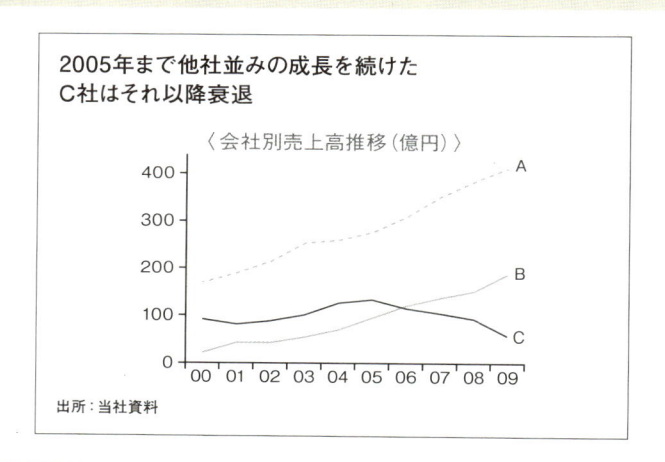

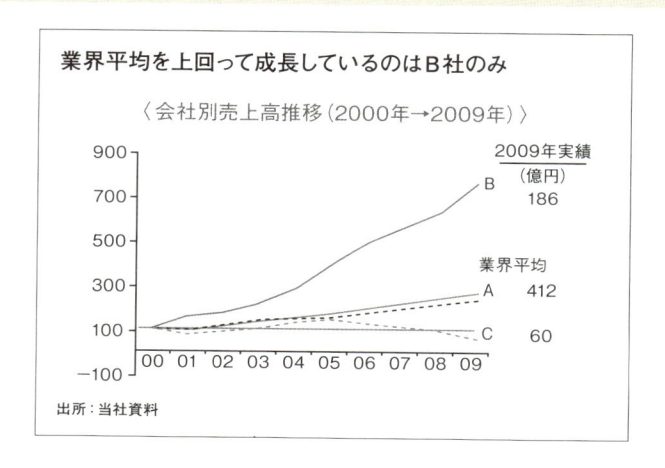

2005年まで他社並みの成長を続けた C社はそれ以降衰退

〈会社別売上高推移（億円）〉

出所：当社資料

図100

業界平均を上回って成長しているのはB社のみ

〈会社別売上高推移（2000年→2009年）〉

2009年実績（億円）
B　186
業界平均
A　412
C　60

出所：当社資料

練習問題 5
EXERCISE

[チャート]

次のスライド（図101）は、某大手広告会社のグループ企業の有価証券報告書から抜粋したものです（数値は変えてあります）。当該企業とグループ企業の資本関係を表しているスライドですが、出資関係を示す線が錯綜していて読みにくくなっています。また、縦と横のロジックがスライドを見てもわからず、各社がなぜスライド上のその位置に置かれているのかがよくわかりません。読みやすくなるように改善してみてください

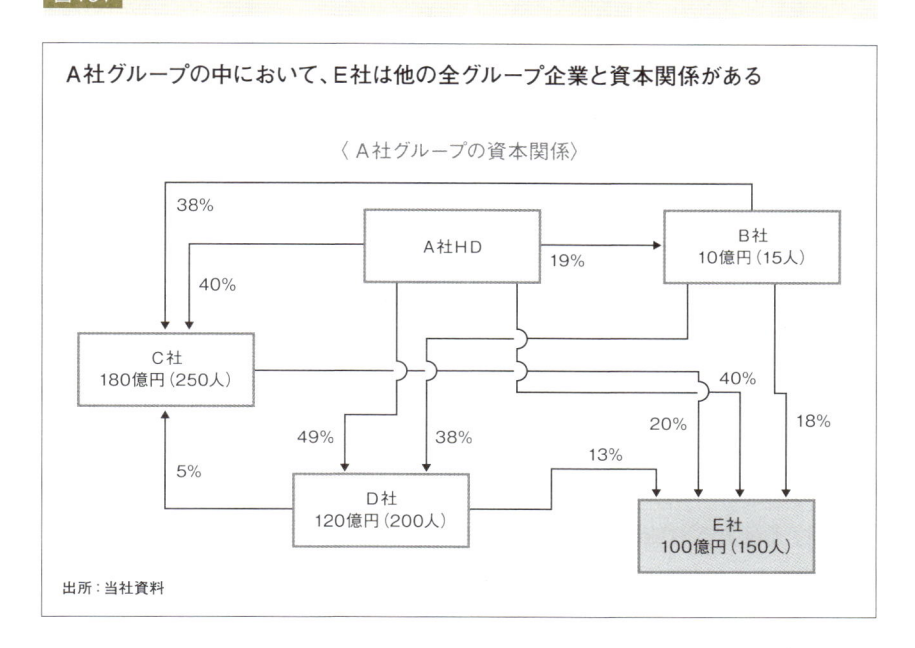

図101

A社グループの中において、E社は他の全グループ企業と資本関係がある

〈 A社グループの資本関係 〉

- A社HD
- B社 10億円（15人）
- C社 180億円（250人）
- D社 120億円（200人）
- E社 100億円（150人）

A社HD → C社: 38%
A社HD → C社: 40%
A社HD → B社: 19%
C社 → D社: 49%
A社HD → D社: 38%
A社HD → E社: 20%
B社 → E社: 40%
B社 → E社: 18%
D社 → E社: 13%
D社 → C社: 5%

出所：当社資料

練習問題5［チャート］　解答例

　このスライドでは会社を循環型に配置しています。情報の配列にはロジックが必要だということは前章でも指摘しましたが、このスライドではグループ各社に定性的／定量的な序列関係が見られません。また売上と従業員以外の属性が不明確なのでセグメント化も難しいうえ、地理的関係、設立時期もわからないので「5つの帽子掛け」も適用できません。

　このケースでは「縦と横」のフォーマットも、図46で提示した「ローテーション」「個別連環」のフォーマットも使えないので「相互連環」のフォーマットを用いることにします（図102）。関係性が錯綜していてわかりにくい状態になったら、一度「相互連環」で配置して関係性を解きほぐすことをおすすめします。驚くほどすっきりと整理できることがあります。

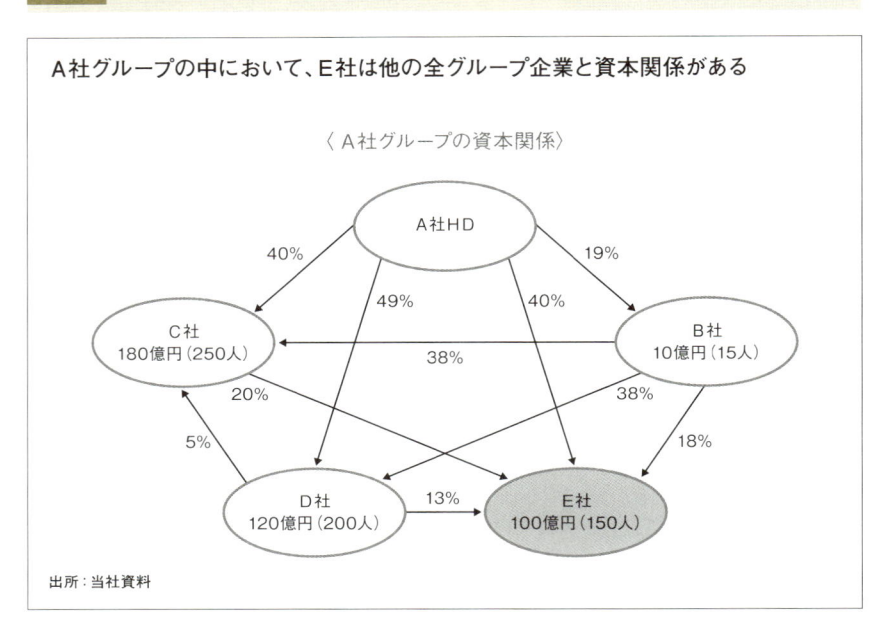

図102

A社グループの中において、E社は他の全グループ企業と資本関係がある

〈A社グループの資本関係〉

```
              A社HD
      40%   49%  40%   19%
    C社            B社
  180億円(250人)   10億円(15人)
         38%
      20%        38%
    5%              18%
    D社    13%    E社
  120億円(200人)  100億円(150人)
```

出所：当社資料

練習問題 6
EXERCISE

［チャート］

　下記のスライド作成者は、「コンテンツビジネスには、カバーする業務領域の違いで6つのビジネスモデルが存在する」ことを指摘しています。このメッセージがより明快に伝わるように改善してみてください。

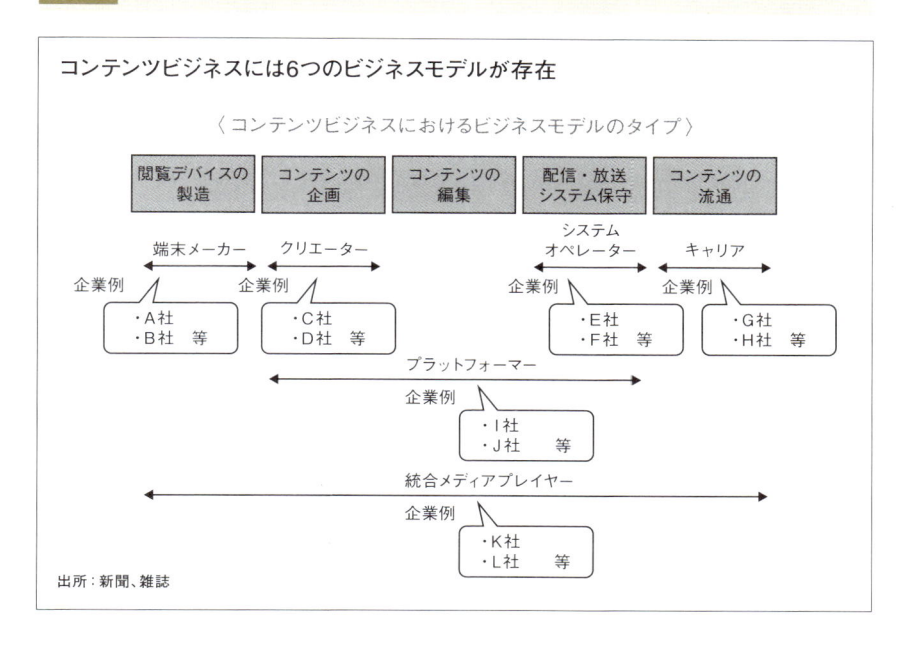

図103

コンテンツビジネスには6つのビジネスモデルが存在

〈 コンテンツビジネスにおけるビジネスモデルのタイプ 〉

| 閲覧デバイスの製造 | コンテンツの企画 | コンテンツの編集 | 配信・放送システム保守 | コンテンツの流通 |

- 端末メーカー
  - 企業例：A社、B社 等
- クリエーター
  - 企業例：C社、D社 等
- システムオペレーター
  - 企業例：E社、F社 等
- キャリア
  - 企業例：G社、H社 等
- プラットフォーマー
  - 企業例：I社、J社 等
- 統合メディアプレイヤー
  - 企業例：K社、L社 等

出所：新聞、雑誌

練習問題6［チャート］　解答例

　このスライドの問題点としてまず気がついてほしいのは、スライドの縦と横の構造があいまいだという点です。横軸はコンテンツ産業のバリューチェーンということで理解できるのですが、縦軸がどのようなロジックに従って情報が配列されているのか理解できません。

　解答例では、横軸にバリューチェーンを、縦軸にビジネスモデルのタイプを、バリューチェーンの川上から順に並べています（図104）。

図104

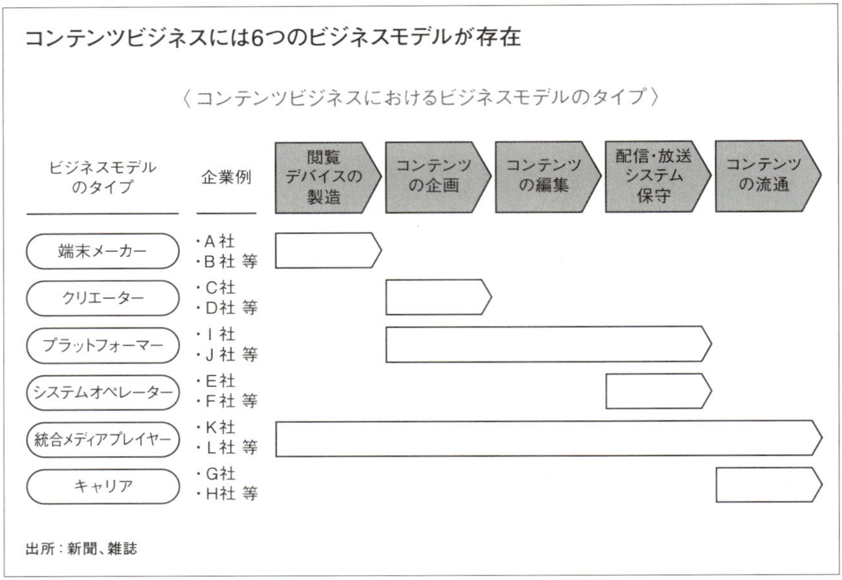

コンテンツビジネスには6つのビジネスモデルが存在

〈コンテンツビジネスにおけるビジネスモデルのタイプ〉

ビジネスモデルのタイプ	企業例	閲覧デバイスの製造	コンテンツの企画	コンテンツの編集	配信・放送システム保守	コンテンツの流通
端末メーカー	・A社 ・B社 等	●				
クリエーター	・C社 ・D社 等		●			
プラットフォーマー	・I社 ・J社 等		●	●	●	
システムオペレーター	・E社 ・F社 等				●	
統合メディアプレイヤー	・K社 ・L社 等		●	●	●	
キャリア	・G社 ・H社 等					●

出所：新聞、雑誌

次に問題なのが、「企業例」というラベルの重複です。これは「非冗長性のルール」に反していますので、これもひとくくりに構造の中に押し込んでしまいます。

解答例ではビジネスモデルのタイプの横に「企業例」というラベルを作成してそこに記載することにしています。この場合、ラベルを用いずに各ビジネスモデルが対象業務とする矢羽の中に、企業例を入れてしまうという手もあります（図105）。

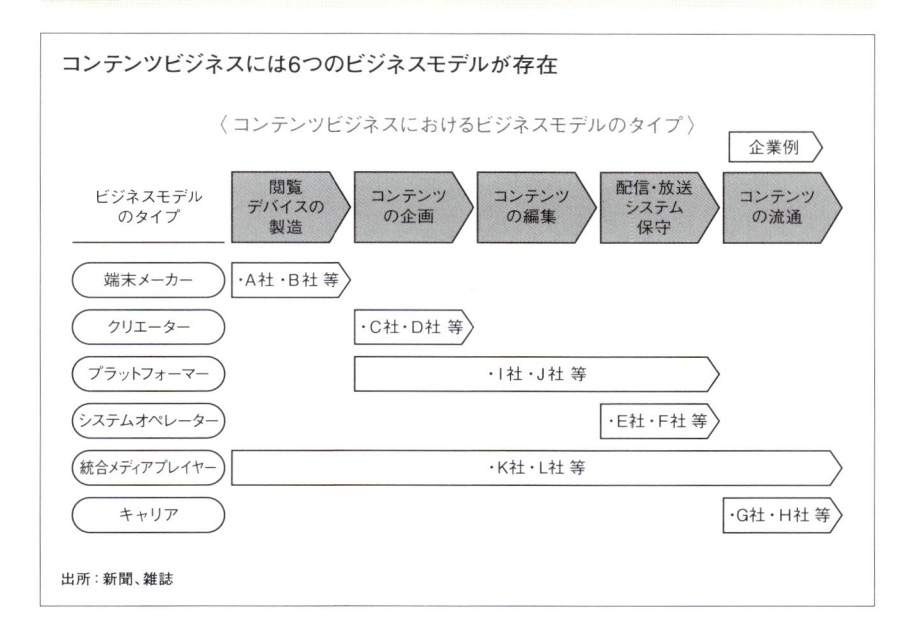

図105

コンテンツビジネスには6つのビジネスモデルが存在

〈 コンテンツビジネスにおけるビジネスモデルのタイプ 〉

ビジネスモデルのタイプ	閲覧デバイスの製造	コンテンツの企画	コンテンツの編集	配信・放送システム保守	コンテンツの流通（企業例）
端末メーカー	・A社・B社 等				
クリエーター		・C社・D社 等			
プラットフォーマー		・I社・J社 等			
システムオペレーター				・E社・F社 等	
統合メディアプレイヤー	・K社・L社 等				
キャリア					・G社・H社 等

出所：新聞、雑誌

「おわりに」に代えての、少し長いお願い

　ここまで読んでいただいた読者の皆さんに、まずは御礼を申し上げたいと思います。その上で、最後に読者の皆さんへのお願いをお伝えしたいと思います。これは、組織開発を専門にしている筆者のような人間が、なぜこのような書籍を著したのかについての理由にも関わる話なので、少し長い「おわりに」になりますが、後もう少しだけお付き合いください。
　筆者が読者の皆さんにお願いしたいと考えているのは、この本の活用法についてです。冒頭にも記した通り、この本では、プロフェッショナル・コンサルティング・ファームの現場において日々用いられているスライド作成のテクニックを網羅的に紹介しています。自分で言うのもなんですが、本書で紹介したテクニックを身につけることで、自分の考えを正確かつ簡潔に人に説明する能力は飛躍的に高められるはずです。筆者が皆さんにお願いしたいのは、身につけたテクニックをどのように活用するか、という選択についてです。
　本書で学んだテクニックは大きく2つの方向性で活用することが可能です。1つは、これらのテクニックを用いて、今のこの世界をうまく渡り歩き、より良い地位、より良い待遇を掴み取る、つまり「キャリアアップ」を実現するための道具にする、という方向性です。今のこの世界を言わば所与のものとして、その世界のルールに適応しながらうまく渡り歩くことにテクニックを活用する、ということです。本書で紹介したテクニックは、いわゆるエスタブリッシュメントの世界で長い時間をかけて確立されたものですから、こういった使い方には十分に対応することが可能です。
　一方で別の方向性もあります。それは、これらのテクニックを用いて、自分の問題意識やアイデアをたくさんの人に説明し、共感させ、動かすことで、今のこの世界に満ちている様々な矛盾や不条理を変革していく、という方向性です。今のこの世界を所与のものとせず、世界のルールそれ自体を変えていくことにテクニックを用いる、いわば小さな革命の道具として活用していく、ということです。本書で紹介したテクニックは、仕事の場における

プレゼンテーションという枠組みを超えて、自分の考えを正確かつ簡潔に人に伝達する状況において普遍的に通用するものになっています。従って、そのような使い方の要請に対しても、これまた十分に対応することが可能です。

　本書をここまで読まれた方は、それぞれの人生のアジェンダを持って、この本に接していることと思いますが、筆者としては、本書で学んだテクニックを前者だけでなく、是非とも後者の方向性で活用してもらえないか、と思っているのです。

　スライドの作成技術の話をしているのに、世界を変えるだなんて大げさだな、と思われる方もいらっしゃるかも知れません。では、そう思った方は、是非その場でぐるりと周囲360度を見回してみてください。どうですか？　目に入って来たもののほとんどは「どこかの企業が生み出したもの」の筈です。この事実は、私たちに2つのことを教えてくれます。1つは、私たちの世界の風景を作り出しているのは、政府でも自治体でもなく、企業なのだということ。そして2つ目は、であればこそ、企業を変えることで世界の風景は変えられる、ということです。そして組織を変えるのは、いつの時代においても矛盾や不条理の解消を粘り強く追求した個人なのです。そういった方々に、世界を変えるためのツールとして、本書で学ばれたテクニックをご活用頂けるのであれば、筆者にとってこれほど幸せなことはありません。

著者紹介

慶應義塾大学文学部哲学科卒業，同大学院文学研究科美学美術史学専攻前期博士課程修了．電通，ボストン コンサルティング グループ，A.T. カーニー等を経てヘイ・グループに参加．グローバル組織のデザイン，組織開発，リーダーシップ開発，キャリアデザイン等のプロジェクトに従事．コンサルティング・ファームで新卒学生＆中途採用者に対するトレーニングの一環として「わかりやすいスライド」の作成方法を教授してきた．著書に『グーグルに勝つ広告モデル』（筆名：岡本一郎）『天職は寝て待て』（いずれも光文社）がある．

外資系コンサルのスライド作成術

2012年11月1日　第1刷発行
2024年10月17日　第21刷発行

著　者　山口　周（やまぐち　しゅう）
発行者　田北浩章

発行所　〒103-8345　東京都中央区日本橋本石町1-2-1　東洋経済新報社
　　　　電話　東洋経済コールセンター03(6386)1040

印刷・製本　丸井工文社

本書のコピー，スキャン，デジタル化等の無断複製は，著作権法上での例外である私的利用を除き禁じられています．本書を代行業者等の第三者に依頼してコピー，スキャンやデジタル化することは，たとえ個人や家庭内での利用であっても一切認められておりません．
© 2012〈検印省略〉落丁・乱丁本はお取替えいたします．
Printed in Japan　ISBN 978-4-492-55720-4　https://toyokeizai.net/